新　潮　文　庫

羅生門・鼻

芥川龍之介著

目次

羅生門 …………… 七

鼻 ……………… 一九

芋粥 ……………… 三三

運 ……………… 六一

袈裟と盛遠 ……… 七七

邪宗門 …………… 九三

好色 ……………… 一二七

俊寛 ……………… 一五五

注　解……………………………………神田由美子　二三七

芥川龍之介　人と文学………………三好行雄　二七五

『羅生門・鼻』について………………吉田精一　二八七

年　譜………………………………………………………二九六

羅生門・鼻

羅生門

或日の暮方の事である。一人の下人が、羅生門の下で雨やみを待っていた。
　広い門の下には、この男の外に誰もいない。唯、所々丹塗の剝げた、大きな円柱に、蟋蟀が一匹とまっている。羅生門が、朱雀大路にある以上は、この男の外にも、雨やみをする市女笠や揉烏帽子が、もう二三人はありそうなものである。それが、この男の外には誰もいない。
　何故かと云うと、この二三年、京都には、地震とか辻風とか火事とか饑饉とか云う災がつづいて起った。そこで洛中のさびれ方は一通りではない。旧記によると、仏像や仏具を打砕いて、その丹がついたり、金銀の箔がついたりした木を、路ばたにつみ重ねて、薪の料に売っていたと云う事である。洛中がその始末であるから、羅生門の修理などは、元より誰も捨てて顧る者がなかった。とうとうしまいには、引取り手のない死人を、この門へ持って来て、棄てて行くと云う習慣さえ出来た。そこで、日の目が見えなくなると、誰でも気味を悪るがって、この門の近所へは足ぶみをしない事になってしまっ

たのである。

その代り又鴉が何処からか、たくさん集って来た。昼間見ると、その鴉が、何羽となく輪を描いて、高い鴟尾のまわりを啼きながら、飛びまわっている。殊に門の上の空が、夕焼けであかくなる時には、それが胡麻をまいたように、はっきり見えた。鴉は、勿論、門の上にある死人の肉を、啄みに来るのである。――尤も今日は、刻限が遅いせいか、一羽も見えない。唯、所々、崩れかかった、そうしてその崩れ目に長い草のはえた石段の上に、鴉の糞が、点々と白くこびりついているのが見える。下人は七段ある石段の一番上の段に、洗いざらした紺の襖の尻を据えて、右の頬に出来た、大きな面皰を気にしながら、ぼんやり、雨のふるのを眺めていた。

作者はさっき、「下人が雨やみを待っていた」と書いた。しかし、下人は雨がやんでも、格別どうしようと云う当てはない。ふだんなら、勿論、主人の家へ帰る可き筈である。ところがその主人からは、四五日前に暇を出された。前にも書いたように、当時京都の町は一通りならず衰微していた。今この下人が、永年、使われていた主人から、暇を出されたのも、実はこの衰微の小さな余波に外ならない。だから「下人が雨やみを待っていた」と云うよりも「雨にふりこめられた下人が、行き所がなくて、途方にくれていた」と云う方が、適当である。その上、今日の空模様も少からず、こ

雨は、羅生門をつつんで、遠くから、ざあっと云う音をあつめて来る。夕闇は次第に空を低くして、見上げると、門の屋根が、斜につき出した甍の先に、重たくうす暗い雲を支えている。

　どうにもならない事を、どうにかする為には、手段を選んでいる遑はない。選んでいれば、築土の下か、道ばたの土の上で、饑死をするばかりである。そうして、この門の上へ持って来て、犬のように棄てられてしまうばかりである。選ばないとすれば——下人の考えは、何度も同じ道を低徊した揚句に、やっとこの局所へ逢着した。しかしこの「すれば」は、何時までたっても、結局「すれば」であった。下人は、手段を選ばないという事を肯定しながらも、この「すれば」のかたをつける為に、当然、その後に来る可き「盗人になるより外に仕方がない」と云う事を、積極的に肯定するだけの、勇気が出ずにいたのである。

の平安朝の下人の Sentimentalisme に影響した。そこで、下人は、何を措いても差当り明日の暮しをどうにかしようとして——云わばどうにもならない事を、どうにかしようとして——云わばどうにもならない事を、どうにかしようとして、とりとめもない考えをたどりながら、さっきから朱雀大路にふる雨の音を、聞くともなく聞いていたのである。

申の刻下りからふり出した雨は、未

下人は、大きな嚔をして、それから、大儀そうに立上った。夕冷えのする京都は、もう火桶が欲しい程の寒さである。風は門の柱と柱との間を、夕闇と共に遠慮なく、吹きぬける。丹塗の柱にとまっていた蟋蟀も、もうどこかへ行ってしまった。

下人は、頸をちぢめながら、山吹の汗衫に重ねた、紺の襖の肩を高くして、門のまわりを見まわした。雨風の患のない、人目にかかる惧のない、一晩楽にねられそうな所があれば、そこでともかくも、夜を明かそうと思ったからである。すると、幸門の上の楼へ上る、幅の広い、これも丹を塗った梯子が眼についた。上なら、人がいたにしても、どうせ死人ばかりである。下人はそこで、腰にさげた聖柄の太刀が鞘走らないように気をつけながら、藁草履をはいた足を、その梯子の一番下の段へふみかけた。

それから、何分かの後である。羅生門の楼の上へ出る、幅の広い梯子の中段に、一人の男が、猫のように身をちぢめて、息を殺しながら、上の容子を窺っていた。楼の上からさす火の光が、かすかに、その男の右の頬をぬらしている。短い鬚の中に、赤く膿を持った面皰のある頬である。下人は、始めから、この上にいる者は、死人ばかりだと高を括っていた。それが、梯子を二三段上って見ると、上では誰か火をとぼして、しかもその火を其処此処と、動かしているらしい。これは、その濁った、黄いろ

い光が、隅々に蜘蛛の巣をかけた天井裏に、揺れながら映ったので、すぐにそれと知れたのである。この雨の夜に、この羅生門の上で、火をともしているからは、どうせ唯の者ではない。

下人は、守宮のように足音をぬすんで、やっと急な梯子を、一番上の段まで這うようにして上りつめた。そうして体を出来るだけ、平にしながら、頸を出来るだけ、前へ出して、恐る恐る、楼の内を覗いて見た。

見ると、楼の内には、噂に聞いた通り、幾つかの屍骸が、無造作に棄ててあるが、火の光の及ぶ範囲が、思ったより狭いので、数は幾つともわからない。唯、おぼろげながら、知れるのは、その中に裸の屍骸と、着物を着た屍骸とがあると云う事である。勿論、中には女も男もまじっているらしい。そうして、その屍骸は皆、それが、嘗て、生きていた人間だと云う事実さえ疑われる程、土を捏ねて造った人形のように、口を開いたり手を延ばしたりして、ごろごろ床の上にころがっていた。しかも、肩とか胸とかの高くなっている部分に、ぼんやりした火の光をうけて、低くなっている部分の影を一層暗くしながら、永久に啞の如く黙っていた。

下人は、それらの屍骸の腐爛した臭気に思わず、鼻を掩った。しかし、その手は、次の瞬間には、もう鼻を掩う事を忘れていた。或る強い感情が、殆悉この男の嗅

下人の眼は、その時、はじめて、その屍骸の中に蹲っている人間を見た。檜皮色の着物を着た、背の低い、痩せた、白髪頭の、猿のような老婆である。その老婆は、右の手に火をともした松の木片を持って、その屍骸の一つの顔を覗きこむように眺めていた。髪の毛の長い所を見ると、多分女の屍骸であろう。

下人は、六分の恐怖と四分の好奇心とに動かされて、暫時は呼吸をするのさえ忘れていた。旧記の記者の語を借りれば、「頭身の毛も太る」ように感じたのである。すると、老婆は、松の木片を、床板の間に挿して、それから、今まで眺めていた屍骸の首に両手をかけると、丁度、猿の親が猿の子の虱をとるように、その長い髪の毛を一本ずつ抜きはじめた。髪は手に従って抜けるらしい。

その髪の毛が、一本ずつ抜けるのに従って、下人の心からは、恐怖が少しずつ消えて行った。そうして、それと同時に、この老婆に対するはげしい憎悪が、少しずつ動いて来た。――いや、この老婆に対すると云っては、語弊があるかも知れない。寧ろ、あらゆる悪に対する反感が、一分毎に強さを増して来たのである。この時、誰かがこの下人に、さっき門の下でこの男が考えていた、饑死をするか盗人になるかと云う問題を、改めて持出したら、恐らく下人は、何の未練もなく、饑死を選んだ事であろう。

それほど、この男の悪を憎む心は、老婆の床に挿した松の木片のように、勢よく燃え上り出していたのである。

下人には、勿論、何故老婆が死人の髪の毛を抜くかわからなかった。従って、合理的には、それを善悪の何れに片づけてよいか知らなかった。しかし下人にとっては、この雨の夜に、この羅生門の上で、死人の髪の毛を抜くと云う事が、それだけで既に許すべからざる悪であった。勿論、下人は、さっきまで、自分が、盗人になる気でいた事なぞは、とうに忘れているのである。

そこで、下人は、両足に力を入れて、いきなり、梯子から上へ飛び上った。そうして聖柄の太刀に手をかけながら、大股に老婆の前へ歩みよった。老婆が驚いたのは云うまでもない。

老婆は、一目下人を見ると、まるで弩にでも弾かれたように、飛び上った。

「おのれ、どこへ行く」

下人は、老婆が屍骸につまずきながら、慌てふためいて逃げようとする行手を塞いで、こう罵った。老婆は、それでも下人をつきのけて行こうとする。下人は又、それを行かすまいとして、押しもどす。二人は屍骸の中で、暫、無言のまま、つかみ合った。しかし勝敗は、はじめから、わかっている。下人はとうとう、老婆の腕をつかん

で、無理にそこへ扭じ倒した。丁度、鶏の脚のような、骨と皮ばかりの腕である。
「何をしていた。云え。云わぬと、これだぞよ」
下人は、老婆をつき放すと、いきなり、太刀の鞘を払って、白い鋼の色をその眼の前へつきつけた。けれども、老婆は黙っている。両手をわなわなふるわせて、肩で息を切りながら、眼を、眼球が眶の外へ出そうになる程、見開いて、啞のように執拗く黙っている。これを見ると、下人は始めて明白に、この老婆の生死が、全然、自分の意志に支配されていると云う事を意識した。そうしてこの意識は、今までけわしく燃えていた憎悪の心を、何時の間にか冷ましてしまった。後に残ったのは、唯、或仕事をして、それが円満に成就した時の、安らかな得意と満足とがあるばかりである。
そこで、下人は、老婆を、見下しながら、少し声を柔げてこう云った。
「己は検非違使の庁の役人などではない。今し方この門の下を通りかかった旅の者だ。だからお前に縄をかけて、どうしようと云うような事はない。唯、今時分、この門の上で、何をしていたのだか、それを己に話しさえすればいいのだ」
すると、老婆は、見開いていた眼を、一層大きくして、じっとその下人の顔を見守った。眶の赤くなった、肉食鳥のような、鋭い眼で見たのである。それから、皺で殆、鼻と一つになった唇を、何か物でも嚙んでいるように、動かした。細い喉で、尖

った喉仏の動いているのが見える。その時、その喉から、鴉の啼くような声が、喘ぎ喘ぎ、下人の耳へ伝わって来た。

「この髪を抜いてな、この髪を抜いてな、鬘にしようと思うたのじゃ」

下人は、老婆の答が存外、平凡なのに失望した。そうして失望すると同時に、又前の憎悪が、冷やかな侮蔑と一しょに、心の中へはいって来た。すると、その気色が、先方へも通じたのであろう。老婆は、片手に、まだ屍骸の頭から奪った長い抜け毛を持ったなり、蟇のつぶやくような声で、口ごもりながら、こんな事を云った。

「成程な、死人の髪の毛を抜くと云う事は、何ぼう悪い事かも知れぬ。じゃが、ここにいる死人どもは、皆、その位な事をされてもいい人間ばかりだぞよ。現在、わしが今、髪を抜いた女などはな、蛇を四寸ばかりずつに切って干したのを、干魚だと云うて、太刀帯の陣へ売りに往んだわ。疫病にかかって死ななんだら、今でも売りに往んでいた事であろ。それもよ、この女の売る干魚は、味がよいと云うて、太刀帯どもが、欠かさず菜料に買っていたそうな。わしは、この女のした事が悪いとは思うていぬ。せねば、饑死をするのじゃて、仕方がなくした事であろ。されば、今又、わしのしていた事も悪い事とは思わぬぞよ。これとてもやはりせねば、饑死をするじゃて、仕方がなくする事じゃわいの。じゃて、その仕方がない事を、よく知っていたこの女は、仕方がなくする事じゃわいの。

は、大方わしのする事も大目に見てくれるであろう」

老婆は、大体こんな意味の事を云った。

下人は、太刀を鞘におさめて、その太刀の柄を左の手でおさえながら、冷然として、この話を聞いていた。勿論、右の手では、赤く頬に膿を持った大きな面皰を気にしながら、聞いているのである。しかし、これを聞いている中に、下人の心には、或勇気が生まれて来た。それは、さっき門の下で、この男には欠けていた勇気である。そうして、又さっきこの門の上へ上って、この老婆を捕えた時の勇気とは、全然、反対な方向に動こうとする勇気である。下人は、饑死をするか盗人になるかに、迷わなかったばかりではない。その時の、この男の心もちから云えば、饑死などと云う事は、殆、考える事さえ出来ない程、意識の外に追い出されていた。

「きっと、そうか」

老婆の話が完ると、下人は嘲るような声で念を押した。そうして、一足前へ出ると、不意に右の手を面皰から離して、老婆の襟上をつかみながら、噛みつくようにこう云った。

「では、己が引剥をしようと恨むまいな。己もそうしなければ、饑死をする体なのだ」

下人は、すばやく、老婆の着物を剝ぎとった。それから、足にしがみつこうとする老婆を、手荒く屍骸の上へ蹴倒した。梯子の口までは、僅に五歩を数えるばかりである。下人は、剝ぎとった檜皮色の着物をわきにかかえて、またたく間に急な梯子を夜の底へかけ下りた。

　暫、死んだように倒れていた老婆が、屍骸の中から、その裸の体を起したのは、それから間もなくの事である。老婆は、つぶやくような、うめくような声を立てながら、まだ燃えている火の光をたよりに、梯子の口まで、這って行った。そうして、そこから、短い白髪を倒にして、門の下を覗きこんだ。外には、唯、黒洞々たる夜があるばかりである。

　下人の行方は、誰も知らない。＊

鼻

禅智内供*の鼻と云えば、池の尾*で知らない者はない。長さは五六寸あって、上唇の上から顎の下まで下っている。形は元も先も同じように太い。云わば、細長い腸詰めのような物が、ぶらりと顔のまん中からぶら下っているのである。

五十歳を越えた内供は、沙弥*の昔から内道場供奉の職に陞った今日まで、内心では始終この鼻を苦に病んで来た。勿論表面では、今でもさほど気にならないような顔をしてすましている。これは専念に当来の浄土を渇仰*すべき僧侶の身で、鼻の心配をするのが悪いと思ったからばかりではない。それより寧ろ、自分で鼻を気にしているという事を、人に知られるのが嫌だったからである。内供は日常の談話の中に、鼻と云う語が出て来るのを何よりも惧れていた。

内供が鼻を持てあました理由は二つある。——一つは実際的に、鼻の長いのが不便だったからである。第一飯を食う時にも独りでは食えない。独りで食えば、鼻の先が鋺*の中の飯へとどいてしまう。そこで内供は弟子の一人を膳の向うへ坐らせて、飯を食う間中、広さ一寸長さ二尺ばかりの板で、鼻を持上げていて貰う事にした。しか

しこうして飯を食うと云う事は、持上げている弟子にとっても、持上げられている内供にとっても、決して容易な事ではない。一度この弟子の代りをした中童子が、嚏をした拍子に手がふるえて、鼻を粥の中へ落した話は、当時京都まで喧伝された。——けれどもこれは内供にとって、決して鼻を苦に病んだ重な理由ではない。内供は実にこの鼻によって傷けられる自尊心の為に苦しんだのである。

池の尾の町の者は、こう云う鼻をしている禅智内供の為に、内供の俗でない事を仕合せだと云った。あの鼻では誰も妻になる女があるまいと思ったからである。中にはまた、あの鼻だから出家したのだろうと批評する者さえあった。しかし内供は、自分が僧である為に、幾分でもこの鼻に煩される事が少くなったと思っていない。内供の自尊心は、妻帯と云うような結果的な事実に左右される為には、余りにデリケイトに出来ていたのである。そこで内供は、積極的にも消極的にも、この自尊心の毀損を恢復しようと試みた。

第一に内供の考えたのは、この長い鼻を実際以上に短く見せる方法である。これは人のいない時に、鏡に向って、いろいろな角度から顔を映しながら、熱心に工夫を凝らして見た。どうかすると、顔の位置を換えるだけでは、安心が出来なくなって、頰杖をついたり頤の先へ指をあてがったりして、根気よく鏡を覗いて見る事もあった。

しかし自分でも満足する程、鼻が短く見えた事は、これまでに唯の一度もない。時によると、苦心すればする程、却って長く見えるような気さえした。内供は、こう云う時には、鏡を筥へしまいながら、今更のようにため息をついて、不承不承に又元の経机へ観音経をよみに帰るのである。

それから又内供は、絶えず人の鼻を気にしていた。池の尾の寺は、僧供講説*などの屢々行われる寺である。寺の内には、僧坊が隙なく建て続いている。湯屋では寺の僧が毎日湯を沸かしている。従ってここへ出入りする僧俗の類も甚多い。内供はこう云う人々の顔を根気よく物色した。一人でも自分のような鼻のある人間を見つけて、安心がしたかったからである。だから内供の眼には、紺の水干も白の帷子*もはいらない。まして柑子色の帽子や、椎鈍*の法衣なぞは、見慣れているだけに、有れども無きが如くである。内供は人を見ずに、唯、鼻を見た。——しかし鍵鼻はあっても、内供のような鼻は一つも見当らない。その見当らない事が度重なるに従って、内供の心は次第に又不快になった。内供が人と話しながら、思わずぶらりと下っている鼻の先をつまんで見て、年甲斐もなく顔を赤めたのは、全くこの不快に動かされての所為である。

最後に、内供は、内典外典*の中に、自分と同じような鼻のある人物を見出して、せめても幾分の心やりにしようとさえ思った事がある。けれども、目連や、舎利弗*の鼻

が長かったとは、どの経文にも書いてない。勿論竜樹や馬鳴も、人並の鼻を備えた菩薩である。内供は、震旦の話の序に蜀漢の劉玄徳の耳が長かったと云う事を聞いた時に、それが鼻だったら、どの位自分は心細くなくなるだろうと思った。

内供がこう云う消極的な苦心をしながらも、一方では又、積極的に鼻の短くなる方法を試みた事は、わざわざここに云うまでもない。内供はこの方面でも、殆出来るだけの事をした。烏瓜を煎じて飲んで見た事もある、鼠の尿を鼻へなすって見た事もある。しかし何をどうしても、鼻は依然として、五六寸の長さをぶらりと唇の上にぶら下げているではないか。

ところが或年の秋、内供の用を兼ねて、京へ上った弟子の僧が、知己の医者から長い鼻を短くする法を教わって来た。その医者と云うのは、もと震旦から渡って来た男で、当時は長楽寺の供僧になっていたのである。

内供は、いつものように、鼻などは気にかけないと云う風をして、わざとその法もすぐにやって見ようとは云わずにいた。そして一方では、気軽な口調で、食事の度毎に、弟子の手数をかけるのが、心苦しいと云うような事を云った。内心では勿論弟子の僧が、自分を説伏せて、この法を試みさせるのを待っていたのである。弟子の僧にも、内供のこの策略がわからない筈はない。しかしそれに対する反感よりは、内供

のそう云う策略をとる心もちの方が、より強くこの弟子の僧の同情を動かしたのであろう。弟子の僧は、内供の予期通り、口を極めて、この法を試みる事を勧め出した。そうして、内供自身もまた、その予期通り、結局この熱心な勧告に聴従する事になった。

その法と云うのは、唯、湯で鼻を茹でて、その鼻を人に踏ませると云う、極めて簡単なものであった。

湯は寺の湯屋で、毎日沸かしている。そこで弟子の僧は、指も入れられないような熱い湯を、すぐに提に入れて、湯屋から汲んで来た。しかしじかにこの提へ鼻を入れるとなると、湯気に吹かれて顔を火傷する惧がある。そこで折敷へ穴をあけて、それを提の蓋にして、その穴から鼻を湯の中へ入れる事にした。鼻だけはこの熱い湯の中へ浸しても、少しも熱くないのである。しばらくすると弟子の僧が云った。
——もう茹った時分でござろう。

内供は苦笑した。これだけ聞いたのでは、誰も鼻の話とは気がつかないだろうと思ったからである。鼻は熱湯に蒸されて、蚤の食ったようにむず痒い。

弟子の僧は、内供が折敷の穴から鼻をぬくと、そのまだ湯気の立っている鼻を、両足に力を入れながら、踏みはじめた。内供は横になって、鼻を床板の上へのばしなが

ら、弟子の僧の足が上下に動くのを眼の前に見ているのである。弟子の僧は、時々気の毒そうな顔をして、内供の禿げ頭を見下しながら、こんな事を云った。
——痛うはござらぬかな、内供の禿げ頭を見下しながら、こんな事を云った。医師は責めて踏めと申したで。じゃが、痛うはござらぬかな。

内供は、首を振って、痛くないと云う意味を示そうとした。ところが鼻を踏まれているので思うように首が動かない。そこで、上眼を使って、弟子の僧の足に皹のきれているのを眺めながら、腹を立てたような声で、
——痛うはないて。
と答えた。実際鼻はむず痒い所を踏まれるので、痛いよりも却て気もちのいい位だったのである。

しばらく踏んでいると、やがて、粟粒のようなものが、鼻へ出来はじめた。云わば毛をむしった小鳥をそっくり丸炙にしたような形である。弟子の僧はこれを見ると、足を止めて独り言のようにこう云った。
——これを鑷子でぬけと申す事でござった。

内供は、不足らしく頬をふくらせて、黙って弟子の僧のするなりに任せて置いた。勿論弟子の僧の親切がわからない訳ではない。それは分っても、自分の鼻をまるで物

品のように取扱うのが、不愉快に思われたからである。内供は、信用しない医者の手術をうける患者のような顔をして、不承不承に弟子の僧が、鼻の毛穴から鑷子で脂をとるのを眺めていた。脂は、鳥の羽の茎のような形をして、四分ばかりの長さにぬけるのである。

やがてこれが一通りすむと、弟子の僧は、ほっと一息ついたような顔をして、

――もう一度、これを茹でればようござる。

と云った。

内供はやはり、八の字をよせたまま不服らしい顔をして、弟子の僧の云うなりになっていた。

さて二度目に茹でた鼻を出して見ると、成程、何時になく短くなっている。これであたりまえの鍵鼻と大した変りはない。内供はその短くなった鼻を撫でながら、弟子の僧の出してくれる鏡を、極りが悪るそうにおずおず覗いて見た。

鼻は――あの顋の下まで下っていた鼻は、殆嘘のように萎縮して、今は僅に上唇の上で意気地なく残喘を保っている。所々まだらに赤くなっているのは、恐らく踏まれた時の痕であろう。こうなれば、もう誰も晒うものはないのにちがいない。――鏡の中にある内供の顔は、鏡の外にある内供の顔を見て、満足そうに眼をしばたたいた。

しかし、その日はまだ一日、鼻が又長くなりはしないかと云う不安があった。そこで内供は誦経する時にも、食事をする時にも、暇さえあれば手を出して、そっと鼻の先にさわって見た。が、鼻は行儀よく唇の上に納まっているだけで、格別それより下へぶら下って来る気色もない。それから一晩寝て、あくる日早く眼がさめると内供はまず、第一に、自分の鼻を撫でて見た。鼻は依然として短い。内供はそこで、幾年にもなく、法華経書写の功を積んだ時のような、のびのびした気分になった。

ところが二三日たつ中に、内供は意外な事実を発見した。それは折から、用事があって、池の尾の寺を訪れた侍が、前よりも一層可笑しそうな顔をして、話も碌々せずに、じろじろ内供の鼻ばかり眺めていた事である。それのみならず、嘗て、内供の鼻を粥の中へ落した事のある中童子なぞは、講堂の外で内供と行きちがった時に、始めは、下を向いて可笑しさをこらえていたが、とうとうこらえ兼ねたと見えて、一度にふっと吹き出してしまった。用を云いつかった下法師たちが、面と向っている間だけは、慎んで聞いていても、内供が後さえ向けば、すぐにくすくす笑い出したのは、一度や二度の事ではない。

内供は始め、これを自分の顔がわりがしたせいだと解釈した。——勿論、中童子や下法師が哂う原因は、この解釈だけでは十分に説明がつかないようである。

そこにあるのにちがいない。けれども同じ晒うにしても、鼻の長かった昔とは、晒うのにどことなく容子がちがう。見慣れた長い鼻より、見慣れない短い鼻の方が滑稽に見えると云えば、それまでである。が、そこにはまだ何かあるらしい。
　——前にはあのようにつけつけとは晒わなんだて。
　内供は、誦しかけた経文をやめて、禿げ頭を傾けながら、時々こう呟く事があった。愛すべき内供は、そう云う時になると、必ぼんやり、傍にかけた普賢*の画像を眺めながら、鼻の長かった四五日前の事を憶い出して、「今はむげにいやしくなりさがれる人の、さかえたる昔をしのぶがごとく」*ふさぎこんでしまうのである。——内供には、遺憾ながらこの問に答える明が欠けていた。
　——人間の心には互に矛盾した二つの感情がある。勿論、誰でも他人の不幸に同情しない者はない。ところがその人がその不幸を、どうにかして切りぬける事が出来ると、今度はこっちで何となく物足りないような心もちがする。少し誇張して云えば、もう一度その人を、同じ不幸に陥れて見たいような気にさえなる。そうして何時の間にか、消極的ではあるが、或敵意をその人に対して抱くような事になる。——内供が、理由を知らないながらも、何となく不快に思ったのは、池の尾の僧俗の態度に、この傍観者の利己主義をそれとなく感づいたからに外ならない。

そこで内供は日毎に機嫌が悪くなった。二言目には、誰でも意地悪く叱りつける。しまいには鼻の療治をしたあの弟子の僧でさえ、「内供は法慳貪の罪を受けられるぞ」と陰口をきく程になった。殊に内供を怒らせたのは、例の悪戯な中童子である。或日、けたたましく犬の吠える声がするので、内供が何気なく外へ出て見ると、中童子は、二尺ばかりの木の片をふりまわして、毛の長い、痩せた尨犬を逐いまわしている。それも唯、逐いまわしているのではない。「鼻を打たれまい。それ、鼻を打たれまい」と囃しながら逐いまわしているのである。内供は、中童子の手からその木の片をひったくって、したたかその顔を打った。木の片は以前の鼻持上げの木だったのである。

内供はなまじいに、鼻の短くなったのが、反って恨めしくなった。

すると或夜の事である。日が暮れてから急に風が出たと見えて、塔の風鐸の鳴る音が、うるさい程枕に通って来た。その上、寒さもめっきり加わったので、老年の内供は寝つこうとしても寝つかれない。そこで床の中でまじまじしていると、ふと鼻が何時になく、むず痒いのに気がついた。手をあてて見ると少し水気が来たようにむくんでいる。どうやらそこだけ、熱さえもあるらしい。

——無理に短うしたで、病が起ったのかも知れぬ。

内供は、仏前に香花を供えるような恭しい手つきで、鼻を抑えながら、こう呟いた。

翌朝、内供が何時ものように早く眼をさまして見ると、寺内の銀杏や橡が、一晩の中に葉を落したので、庭は黄金を敷いたように明い。塔の屋根には霜が下りているせいであろう。まだうすい朝日に、九輪がまばゆく光っている。禅智内供は、蔀を上げた橡に立って、深く息をすいこんだ。

 殆、忘れようとしていた或感覚が、再び内供に帰って来たのはこの時である。
 内供は慌てて鼻へ手をやった。手にさわるものは、昨夜の短い鼻ではない。上唇の上から顋の下まで、五六寸あまりもぶら下っている、昔の長い鼻である。内供は鼻が一夜の中に、又元の通り長くなったのを知った。そうしてそれと同時に、鼻が短くなった時と同じような、はればれした心もちが、どこからともなく帰って来るのを感じた。
 ——こうなれば、もう誰も晒うものはないにちがいない。
 内供は心の中でこう自分に囁いた。長い鼻をあけ方の秋風にぶらつかせながら。

芋(いも)

粥(がゆ)

元慶*の末か、仁和*の始にあった話であろう。どちらにしても時代はさして、この話に大事な役を、勤めていない。読者は唯、平安朝と云う、遠い昔が背景になっていると云う事を、知ってさえいてくれれば、よいのである。——その頃、摂政藤原基経*に仕えている侍の中に、某と云う五位*があった。

これも、某と書かずに、何の誰と、ちゃんと姓名を明らかにしたいのであるが、生憎旧記*には、それが伝わっていない。恐らくは、実際、伝わる資格がない程、平凡な男だったのであろう。一体旧記の著者などと云う者は、平凡な人間や話に、余り興味を持たなかったらしい。この点で、彼等と、日本の自然派の作家とは、大分ちがう。王朝時代の小説家は、存外、閑人でない。——とにかく、摂政藤原基経に仕えている侍の中に、某と云う五位があった。これが、この話の主人公である。

五位は、風采の甚だ揚らない男であった。第一背が低い。それから赤鼻で、眼尻が下っている。口髭は勿論薄い。頬が、こけているから、頤が、人並はずれて、細く見える。唇は——一々、数え立てていれば、際限はない。我五位の外貌はそれ程、非凡

に、だらしなく、出来上っていたのである。

この男が、何時、どうして、基経に仕えるようになったのか、それは誰も知っていない。が、余程以前から、同じような役目を、同じような色の褪めた水干に、同じような萎々した烏帽子をかけて、飽きずに、毎日、繰返している事だけは、確である。その結果であろう、今では、誰が見ても、この男に若い時があったとは思われない。（五位は四十を越していた）その代り、生れた時から、あの通り寒むそうな赤鼻と、形ばかりの口髭とを、朱雀大路の衢風に、吹かせていたと云う気がする。上は主人の基経から、下は牛飼の童児まで、無意識ながら、悉くそう信じて疑う者がない。

こう云う風采を具えた男が、周囲から、受ける待遇は、恐らく書くまでもない事であろう。侍所にいる連中は、五位に対して、殆ど蠅程の注意も払わない。有位無位併せて二十人に近い下役さえ、彼の出入りには、不思議な位、冷淡を極めている。五位が何か云いつけても、決して彼等同志の雑談をやめた事はない。彼等にとっては、空気の存在が見えないように、五位の存在も、眼を遮らないのであろう。下役でさえそうだとすれば、別当とか、侍所の司とか云う上役たちが、頭から彼を相手にしないのは、寧ろ自然の数である。彼等は、五位に対すると、殆ど、子供らしい無意味な悪意を、冷然とした表情の後に隠して、何を云うのでも、手真似だけで、用を足した。

人間に言語があるのは、偶然ではない。従って、彼らも手真似では、用を弁じない事が、時々ある。が、彼らは、それを全然五位の悟性に、欠陥があるからだと、思っているらしい。そこで彼らは用が足りないと、この男の歪んだ揉烏帽子の先から、切れかかった藁草履の尻まで、万遍なく、見上げたり、見下したりして、それから、鼻で哂いながら、急に後を向いてしまう。それでも、五位は、腹を立てた事がない。彼は、一切の不正を、不正として感じない程、意気地のない、臆病な人間だったのである。

ところが、同僚の侍たちになると、進んで、彼を嬲弄しようとした。年かさの同僚が、彼らの振わない風采を材料にして、古い洒落を聞かせようとする如く、年下の同僚も、またそれを機会にして、所謂興言利口の練習をしようとしたからである。彼等は、この五位の面前で、その鼻と口髭と、烏帽子と水干とを、品隲して飽きる事を知らなかった。それのみではない。彼が五六年前に別れたうけ唇の女房と、その女房と関係があったと云う酒のみの法師とも、屡々彼らの話題になった。その上、どうかすると、彼等は甚、性質の悪い悪戯さえする。それを今一々、列記する事は出来ない。が、彼の篠枝の酒を飲んで、後へ尿を入れて置いたと云う事を書けば、その外は凡、想像される事だろうと思う。

しかし、五位はこれらの揶揄に対して、全然無感覚であった。少くも、わき眼には、

無感覚であるらしく思われた。彼は何を云われても、顔の色さえ変えた事がない。黙って例の薄い口髭を撫でながら、するだけの事をしてすましている。唯、同僚の悪戯が、高じすぎて、髷に紙切れをくつけたり、太刀の鞘に草履を結びつけたりすると、彼は笑うのか、泣くのか、わからないような笑顔をして、「いけぬのう、お身たちは」と云う。その顔を見、その声を聞いた者は、誰でも一時或いじらしさに打たれてしまう。（彼等にいじめられるのは、一人、この赤鼻の五位だけではない、彼等の知らない誰かが――多数の誰かが、彼の顔と声とを借りて、彼等の無情を責めている）――そう云う気が、朧げながら、一瞬の間、しみこんで来るからである。唯その時の心もちを、何時までも持続ける者は甚少い。その少い中の一人に、或無位の侍があった。これは丹波の国から来た男で、まだ柔かい口髭が、やっと鼻の下に、生えかかった位の青年である。勿論、この男も始めは皆と一しょに、何の理由もなく、赤鼻の五位を軽蔑した。ところが、或日何かの折に、「いけぬのう、お身たちは」と云う声を聞いてからは、どうしても、それが頭を離れない。それ以来、この男の眼にだけは、五位が全く別人として、映るようになった。栄養の不足した、血色の悪い、間のぬけた五位の顔にも、世間の迫害にべそを掻いた、「人間」が覗いているからである。この無位の侍には、五位の事を考える度に、世の中のすべてが、急に、本来の下等さ

を露すように思われた。そうしてそれと同時に霜げた赤鼻と、数える程の口髭とが、何となく一味の慰安を自分の心に伝えてくれるように思われた。……

しかし、それは、唯この男一人に、犬のような生活を続けて行かなければならなかったは、依然として周囲の軽蔑の中に、犬のような生活を続けて行かなければならなかった。第一彼には着物らしい着物が一つもない。青鈍の水干と、同じ色の指貫とが一つずつあるが、今ではそれが上白んで、藍とも紺とも、つかないような色に、なっている。水干はそれでも、肩が少し落ちて、丸組の緒や菊綴の色が怪しくなっているだけだが、指貫になると、裾のあたりのいたみ方が、一通りでない。その指貫の中から、下の袴もはかない、細い足が出ているのを見ると、口の悪い同僚でなくとも、瘠公卿の車を牽いている、痩牛の歩みを見るような、みすぼらしい心もちがする。それに佩いている太刀も、頗る覚束ない物で、柄の金具も如何わしければ、黒鞘の塗も剝げかかっている。これが例の赤鼻で、だらしなく草履をひきずりながら、なお一層寒空の下に背ぐくまって、もの欲しそうに、左右を眺め眺め、きざみ足に歩くのだから、通りがかりの物売りまで莫迦にするのも、無理はない。現に、こう云う事さえあった。……

或る日、五位が三条坊門を神泉苑の方へ行く所で、子供が六七人、路ばたに集って

何かしているのを見た事がある。「こまつぶり」でも、廻しているのかと思って、後ろから覗いて見ると、何処からか迷って来た、尨犬の首へ縄をたりしているのであった。臆病な五位は、これまで何かに同情を寄せる事があたりへ気を兼ねて、まだ一度もそれを行為に現わした事がない。が、この時だけは相手が子供だと云うので、幾分か勇気が出た。そこで出来るだけ、笑顔をつくりながら、年かさらしい子供の肩を叩いて、「もう、勘忍してやりなされ。犬も打たれれば痛いでのう」と声をかけた。するとその子供はふりかえりながら、上眼を使って、蔑すむように、じろじろ五位の姿を見た。云わば侍所の別当が用の通じない時に、この男を見るような顔をして、見たのである。「いらぬ世話はやかれとうもない」その子供は一足下りながら、高慢な唇を反らせて、こう云った。「何じゃ、この鼻赤めが」五位は、この語が自分の顔を打ったように感じた。が、それは悪態をつかれて、腹が立ったからでは毛頭ない。云わなくともいい事を云って、恥をかいた自分が、情なくなったからである。彼は、きまりが悪いのを苦しい笑顔に隠しながら、黙って、又、神泉苑の方へ歩き出した。後では、子供が、六七人、肩を寄せて、「べっかっこう」をしたり、舌を出したりしている。勿論彼はそんな事を知らない。知っていたにしても、それが、この意気地のない五位にとって、何であろう。……

では、この話の主人公は、唯、軽蔑される為にのみ生れて来た人間で、別に何の希望も持っていないかいうと、そうでもない。五位は五六年前から芋粥と云う物に、異常な執着を持っている。芋粥とは山の芋を中に切込んで、それを甘葛*の汁で煮た、粥の事を云うのである。当時はこれが、無上の佳味として、上は万乗の君*の食膳にさえ、上せられた。従って、吾五位の如き人間の口へは、年に一度、臨時の客の折にしか、はいらない。その時でさえ飲めるのは、僅に喉を沾すに足る程の少量である。そこで芋粥を飽きる程飲んで見たいと云う事が、久しい前から、彼の唯一の欲望になっていた。勿論、彼は、それを誰にも話した事がない。いや彼自身さえ、それが、彼の一生を貫いている欲望だとは、明白に意識しなかった事であろう。が事実は、彼がその為に、生きていると云っても、差支ない程であった。――人間は、時として、充されるか、充されないか、わからない欲望の為に、一生を捧げてしまう。その愚を晒う者は、畢竟、人生に対する路傍の人に過ぎない。

しかし、五位が夢想していた、「芋粥に飽かむ」事は、存外容易に事実となって、現れた。その始終を書こうと云うのが、芋粥の話の目的なのである。

或年の正月二日、基経の第に、所謂臨時の客があった時の事である。(臨時の客は二宮の大饗と同日に摂政関白家が、大臣以下の上達部を招いて、催す饗宴で、大饗と別に変りがない*。)五位も、外の侍たちにまじって、その残肴の相伴をした。当時はまだ、取食みの習慣がなくて、残肴は、その家の侍が一堂に集まって、食う事になっていたからである。尤も、大饗に比しいと云っても昔の事だから、品数の多い割に碌な物はない、餅、伏菟*、蒸鮑、干鳥、宇治の氷魚、近江の鮒、鯛の楚割*、鮭の内子、焼蛸、大海老、大柑子、小柑子、橘、串柿などの類である。が、何時もその中に、例の芋粥があった。五位は毎年、この芋粥を楽しみにしている。そうして気のせいか、何時もより、余程味が好い。そこで、彼は飲んでしまった後の椀をしげしげと眺めながら、うすい口髭についている滴を、掌で拭いて誰に云うともなく、「何時になったら、これに飽ける事かのう」と、こう云った。

「大夫殿は、芋粥に飽かれた事がないそうな」

五位の語が完らない中に、誰かが、嘲笑った。錆のある、鷹揚な、武人らしい声である。五位は、猫背の首を挙げて、臆病らしく、その人の方を見た。声の主は、その頃、同じ基経の恪勤になっていた、民部卿時長の子藤原利仁*である。肩幅の広い、身の

長の群を抜いた逞しい大男で、これは、煠栗を嚙みながら、黒酒の杯を重ねていた。もう大分酔がまわっているらしい。

「お気の毒な事じゃ」利仁は、五位が顔を挙げたのを見ると、軽蔑と憐憫とを一つにしたような声で、語を継いだ。「お望みなら、利仁がお飽かせ申そう」始終、いじめられている犬は、たまに肉を貰っても容易によりつかない。五位は、例の笑うのか、泣くのか、わからないような笑顔をして、利仁の顔と、空の椀とを、等分に見比べていた。

「おいやかな」

「……」

「どうじゃ」

「……」

五位は、その中に、衆人の視線が、自分の上に、集まっているのを感じ出した。答え方一つで、又、一同の嘲弄を、受けなければならない。或は、どう答えても、結局、莫迦にされそうな気さえする。彼は躊躇した。もし、その時に、相手が、少し面倒臭そうな声で、「おいやなら、たってとは申すまい」と云わなかったら、五位は、何時までも、椀と利仁とを、見比べていた事であろう。

彼は、それを聞くと、慌しく答えた。

「いや……忝うござる」

この問答を聞いていた者は、皆、一時に、失笑した。「いや、忝うござる」――こう云って、五位の答を、真似る者さえある。所謂、橙黄橘紅を盛った、窪坏や高坏の上に、多くの揉烏帽子や立烏帽子が、笑声と共に一しきり、波のように動いた。中でも、最、大きな声で、機嫌よく、笑ったのは、利仁自身である。

「では、その中に、御誘い申そう」そう云いながら、彼は、ちょいと顔をしかめた。こみ上げて来る笑と今、飲んだ酒とが、喉で一つになったからである。「……しかと、よろしいな」

「忝うござる」

五位は赤くなって、吃りながら、又、前の答を繰返した。一同が今度も、笑ったのは、云うまでもない。それが云わせたさに、わざわざ念を押した当の利仁に至っては、前よりも一層可笑しそうに広い肩をゆすって、哄笑した。この朔北の野人は、生活の方法を二つしか心得ていない。一つは酒を飲む事で、他の一つは笑う事である。

しかし幸に談話の中心は、程なく、この二人を離れてしまった。これは事によると、外の連中が、たとい嘲弄にしろ、一同の注意をこの赤鼻の五位に集中させるのが、不

快だったからかも知れない。とにかく、談柄はそれからそれへと移って、酒も肴も残少なくなった時分には、某という侍学生が、五位の片膝へ、両足を入れて馬に乗ろうとした話が、一座の興味を集めていた。が、五位だけは、まるで外の話が聞えないらしい。恐らく芋粥の二字が、彼のすべての思量を支配しているからであろう。前に雉子の炙いたのがあっても、箸をつけない。黒酒の杯があっても、口を触れない。彼は、唯、両手を膝の上へ置いて、見合いをする娘のように、霜に犯されかかった鬢の辺まで、初心らしく上気しながら、何時までも空になった黒塗の椀を見つめて、多愛もなく、微笑しているのである。……

　　　　　　＊

　それから、四五日たった日の午前、加茂川の河原に沿って、粟田口へ通う街道を、静に馬を進めてゆく二人の男があった。一人は、濃い縹の狩衣に同じ色の袴をして、打出の太刀を佩いた、「鬚黒く鬢ぐきよき」男である。もう一人は、みすぼらしい青鈍の水干に、薄綿の衣を二つばかり重ねて着た、四十恰好の侍で、これは、帯のむすび方のだらしのない容子と云い、赤鼻で、しかも穴のあたりが、凄にぬれている容子と云い、身のまわり万端のみすぼらしい事夥しい。尤も、馬は二人とも、前のは月

毛、後のは蘆毛の三才駒で、道をゆく物売りや侍も、振向いて見る程の駿足である。その後から又二人、馬の歩みに遅れまいとして随いて行くのは、調度掛と舎人とに相違ない。——これが、利仁と五位との一行である事は、わざわざ、ここに断るまでもない話であろう。

冬とは云いながら、物静かに晴れた日で、白けた河原の石の間、潺湲たる水の辺に立枯れている蓬の葉を、ゆする程の風もない。川に臨んだ背の低い柳は、葉のない枝に飴の如く、滑かな日の光りをうけて、梢にいる鶺鴒の尾を動かすのさえ、鮮にそれと、影を街道に落している。東山の暗い緑の上に、霜に焦げた天鵞絨のような肩を、丸々と出しているのは、大方、比叡の山であろう。二人は、その中に鞍の螺鈿を、まばゆく日にきらめかせながら、鞭をも加えず悠々と、粟田口を指して行くのである。

「どこでござるかな、手前をつれて行って、やろうと仰せられるのは」五位が馴れない手に手綱をかいくりながら、云った。

「すぐ、そこじゃ。お案じになる程遠うはない」

「すると、粟田口辺でござるかな」

「まず、そう思われたがよろしかろう」

利仁は今朝五位を誘うのに、東山の近くに湯の湧いている所があるから、そこへ行

こうと云って出て来たのである。赤鼻の五位は、それを真にうけた。久しく湯にはいらないので、体中がこの間からむず痒い。芋粥の馳走になった上に、入湯が出来れば、願ってもない仕合せである。こう思って、予め利仁が牽かせて来た、蘆毛の馬に跨った。ところが、轡を並べて、此処まで来てみると、どうも利仁はこの近所へ来るつもりではないらしい。現にそうこうしている中に、粟田口は通りすぎた。

「粟田口ではござらぬのう」

利仁は、微笑を含みながら、わざと、五位の顔を見ないようにして、静に馬を歩ませている。両側の人家は、次第に稀になって、今は、広々とした冬田の上に、餌をあさる鴉が見えるばかり、山の陰に消残って雪の色も、仄に青く煙っている。晴れながら、とげとげしい櫨の梢が、眼に痛く空を刺しているのさえ、何となく肌寒い。

「では、山科辺ででもござるかな」

「山科は、これじゃ。もそっと、さきでござるよ」

成程、そう云う中に、山科も通りすぎた。それどころではない。何かとする中に、関山も後にして、かれこれ、午少しすぎた時分には、とうとう三井寺*の前へ来た。三井寺には、利仁の懇意にしている僧がある。二人はその僧を訪ねて、午餐の馳走にな

った。それがすむと、又、馬に乗って、途を急ぐ。行手は今まで来た路に比べると遥に人煙が少ない。殊に当時は盗賊が四方に横行した、物騒な時代である。――五位は猫背を一層低くしながら、利仁の顔を見上げるようにして訊ねた。
「まだ、さきでござるのう」
利仁は微笑した。悪戯をして、それを見つけられそうになった子供が、年長者に向ってするような微笑である。鼻の先へよせた皺と、眼尻にたたえた筋肉のたるみとが、笑ってしまおうか、しまうまいかとためらっているらしい。そうして、とうとう、こう云った。
「実はな、敦賀まで、お連れ申そうと思うたのじゃ」笑いながら、利仁は鞭を挙げて遠くの空を指さした。その鞭の下には、的皪として、午後の日を受けた近江の湖が光っている。
五位は、狼狽した。
「敦賀と申すと、あの越前の敦賀でござるかな。あの越前の――」
利仁が、敦賀の人、藤原有仁の女婿になってから、多くは敦賀に住んでいると云う事も、日頃から聞いていない事はない。が、その敦賀まで自分をつれて行く気だろうとは、今の今まで思わなかった。第一、幾多の山河を隔てている越前の国へ、この通

り、僅二人の伴人をつれただけで、どうして無事に行かれよう。ましてこの頃は、往来の旅人が、盗賊の為に殺されたと云う噂さえ、諸方にある。――五位は歎願するように、利仁の顔を見た。

「それは又、滅相な、東山じゃと心得れば、山科。山科じゃと心得れば、三井寺。揚句が越前の敦賀とは、一体どうしたと云う事でござる。始めから、そう仰せらりょうなら、下人共なりと、召つれようものを。――敦賀とは、滅相な」五位は、殆どべそを掻かないばかりになって、呟いた。もし「芋粥に飽かむ」事が、彼の勇気を鼓舞しなかったとしたら、彼は恐らく、そこから別れて、京都へ独り帰って来た事であろう。

「利仁が一人居るのは、千人ともお思いなされ。路次の心配は、御無用じゃ」

五位の狼狽するのを見ると、利仁は、少し眉を顰めながら、嘲笑った。そうして調度掛を呼寄せて、持たせて来た壺胡籙を背に負うと、やはり、その手から、黒漆の真弓をうけ取って、それを鞍上に横えながら、先に立って、馬を進めた。こうなる以上、意気地のない五位は、利仁の意志に盲従するより外に仕方がない。そこで、彼は心細そうに、荒涼とした周囲の原野を眺めながら、うろ覚えの観音経を口の中に念じ念じ、例の赤鼻を鞍の前輪にすりつけるようにして、覚束ない馬の歩みを、不相変とぼとぼ

と進めて行った。

馬蹄の反響する野は、茫々たる黄茅*に蔽われて、その所々にある行潦*も、つめたく、青空を映したまま、この冬の午後を、何時かそれなり凍ってしまうかと疑われる。その涯には、一帯の山脈が、日に背いているせいか、かがやく可き残雪の光もなく、紫がかった暗い色を、長々となすっているが、それさえ蕭条*たる幾叢の枯薄に遮られて、二人の従者の眼には、はいらない事が多い。——すると、利仁が、突然、五位の方をふりむいて、声をかけた。

「あれに、よい使者が参った。敦賀への言づけを申そう」

五位は利仁の云う意味が、よくわからないので、怖々ながら、その弓で指さす方を、眺めて見た。元より人の姿が見えるような所ではない。唯、野葡萄か何かの蔓が、灌木の一むらにからみついている中を、一疋の狐が、暖かな毛の色を、傾きかけた日に曝しながら、のそりのそり歩いて行く。——と思う中に、狐は、慌ただしく身を跳らせて、一散に、どこともなく走り出した。利仁が急に、鞭を鳴らせて、その方へ馬を飛ばし始めたからである。五位も、われを忘れて、利仁の後を、逐った。従者も勿論、遅れてはいられない。しばらくは、石を蹴る馬蹄の音が、憂々と*して、曠野の静けさを破っていたが、やがて利仁が、馬を止めたのを見ると、何時、捕えたのか、もう狐

の後足を摑んで、倒に、鞍の側へ、ぶら下げている。狐が、走れなくなるまで、追いつめた所で、それを馬の下に敷いて、手取りにしたものであろう。五位は、うすい髭にたまる汗を、慌しく拭きながら、漸く、その傍へ馬を乗りつけた。

「これ、狐、よう聞けよ」利仁は、狐を高くも眼の前へつるし上げながら、わざと物々しい声を出してこう云った。「その方、今夜の中に、敦賀の利仁が館へ参って、こう申せ。『利仁は、唯今俄に客人を具して下ろうとする所じゃ。明日、巳時頃、高島の辺まで、男たちを迎いに遣わし、それに、鞍置馬二疋、牽かせて参れ』よいか忘れるなよ」

　云い畢ると共に、利仁は、一ふり振って狐を、遠くの叢の中へ、拋り出した。

「いや、走るわ。走るわ」

　やっと、追いついた二人の従者は、逃げゆく狐の行方を眺めながら、手を拍って囃し立てた。落葉のような色をしたその獣の背は、夕日の中を、まっしぐらに、木の根石くれの嫌いなく、何処までも、走って行く。それが一行の立っている所から、手にとるようによく見えた。狐を追っている中に、何時か彼等は、曠野が緩い斜面を作って、水の涸れた川床と一つになる、その丁度上の所へ、出ていたからである。

「広量の御使でござるのう」

五位は、ナイイヴな尊敬と賛嘆とを洩らしながら、この狐さえ頤使する野育ちの武人の顔を、今更のように、仰いで見た。自分と利仁との間に、どれ程の懸隔があるか、そんな事は、考える暇がない。唯、利仁の意志に、支配される範囲が広いだけに、その意志の中に包容される自分の意志も、それだけ自由が利くようになった事を、心強く感じるだけである。——阿諛*は、恐らく、こう云う時に、最も自然に生れて来るものであろう。読者は、今後、赤鼻の五位の態度に、幇間*のような何物かを見出しても、それだけで、妄にこの男の人格を、疑う可きではない。

　抛り出された狐は、器用に、ぴょいぴょい、飛び越えて、今度は、駈け下りると、水の無い河床の石の間を、なぞえ*の斜面を、転げるようにして、すじかいに駈け上った。駈け上りながら、ふりかえって見ると、自分を手捕りにした侍の一行は、まだ遠い傾斜の上に馬を並べて立っている。それが皆、指を揃えた程に、小さく見えた。殊に入日を浴びた、月毛と蘆毛とが、霜を含んだ空気の中に、描いたよりもくっきりと、浮き上っている。

　狐は、頭をめぐらすと、又枯薄の中を、風のように走り出した。

一行は、予定通り翌日の巳時ばかりに、高島の辺へ来た。此処は琵琶湖に臨んだ、ささやかな部落で、昨日に似ず、どんよりと曇った空の下に、幾戸の藁屋が、疎にちらばっているばかり、岸に生えた松の樹の間には、灰色の漣をよせる湖の水面が、磨ぐのを忘れた鏡のように、さむざむと開けている。——此処まで来ると利仁が、五位を顧みて云った。
「あれを御覧じろ。男どもが、迎いに参ったげでござる」
見ると、成程、二三十人の男たちが、馬に跨がったのもあり、徒歩のもあり、皆水干の袖を寒風に翻えして、湖の岸、松の間を、一行の方へ急いで来る。やがてこれが、間近くなったと思うと、馬に乗っていた連中は、慌ただしく鞍を下り、徒歩の連中は、路傍に蹲踞して、いずれも恭々しく、利仁の来るのを、待ちうけた。
「やはり、あの狐が、使者を勤めたと見えますのう」
「性得、変化ある獣じゃて、あの位の用を勤めるのは、何でもござらぬ」
五位と利仁とが、こんな話をしている中に、一行は、郎等たちの待っている所へ来た。「大儀じゃ」と、利仁が声をかける。蹲踞していた連中が、忙しく立って、二人の馬の口を取る。急に、すべてが陽気になった。

「夜前、稀有な事が、ございましてな」

二人が、馬から下りて、敷皮の上へ、腰を下すか下さない中に、檜皮色の水干を着た、白髪の郎等が、利仁の前へ来て、こう云った。

「何じゃ」利仁は、郎等たちの持って来た篠枝や破籠を、五位にも勧めながら、鷹揚に問いかけた。

「されば、でございまする。夜前、戌時ばかりに、奥方が俄に、人心地をお失いなされましてな。『おのれは、阪本の狐じゃ。今日、殿の仰せられた事を、言伝てしょうほどに、近う寄って、よう聞きやれ』と、こう仰有るのでございまする。さて、一同がお前に参りますると、奥方の仰せられまするには、『殿は、唯今俄に客人を具して、下られようとする所じゃ。明日巳時頃、高島の辺まで、男どもを迎いに遣わし、それに鞍置馬二疋牽かせて参れ』と、こう御意遊ばすのでございまする」

「それは、又、稀有な事でござるのう」五位は利仁の顔と、郎等の顔とを、仔細らしく見比べながら、両方に満足を与えるような、相槌を打った。

「それも唯、仰せられるのではございませぬ。さも、恐ろしそうに、わなわなとお震えになりましてな、『遅れまいぞ。遅れれば、おのれが、殿の御勘当をうけねばならぬ』と、しっきりなしに、お泣きになるのでございまする」

「して、それから、如何した」
「それから、多愛なく、お休みになりましてな。手前共の出て参りまする時にも、ま
だ、お眼覚にはならぬようで、ございました」
「如何でござるな」郎等の話を聞き完ると、利仁は五位を見て、得意らしく云った。
「利仁には、獣も使われ申すわ」
「何とも驚き入る外は、ござらぬのう」五位は、赤鼻を掻きながら、ちょいと、頭を
下げて、それから、わざとらしく、呆れたように、口を開いて見せた。口髭には今、
飲んだ酒が、滴になって、くっついている。

　　　　　　　　　　―

　その日の夜の事である。五位は、利仁の館の一間に、切燈台*の灯を眺めるともなく、
眺めながら、寝つかれない長の夜をまじまじして、明していた。すると、夕方、此処
へ着くまで、利仁や利仁の従者と、談笑しながら、――越えて来た松山、小川、枯野、或
は、草、木の葉、石、野火の煙のにおい、――そう云うものが、一つずつ、五位の心
に、浮んで来た。殊に、雀色時の靄の中を、やっと、この館へ辿りついて、長櫃に起
してある、炭火の赤い焰を見た時の、ほっとした心もち、――それも、今、こうして、

寝ていると、遠い昔にあった事としか、思われない。五位は綿の四五寸もはいった、黄いろい直垂*の下に、楽々と、足をのばしながら、ぼんやり、われとわが寝姿を見廻した。

直垂の下に利仁が貸してくれた、練色*の衣の綿厚なのを、二枚まで重ねて、着こんでいる。それだけでも、どうかすると、汗が出かねない程、暖かい。そこへ、夕飯の時に一杯やった、酒の酔が手伝っている。枕元の蔀一つ隔てた向うは、霜の冴えた広庭だが、それも、こう陶然としていれば、少しも苦にならない。万事が、京都の自分の曹司にいた時と比べれば、雲泥の相違である。が、それにも係わらず、我五位の心には、何となく釣合のとれない不安があった。第一、時間のたって行くのが、待遠い。しかもそれと同時に、夜の明けると云う事が、——芋粥を食う時になって行くと云う事が、そう早く、来てはならないような心もちがする。そうして又、この矛盾した二つの感情が、互に剋し合う後には、境遇の急激な変化から来る、落着かない気分が、今日の天気のように、うすら寒く控えている。それが、皆、邪魔になって、折角の暖かさも、容易に、眠りを誘いそうもない。

すると、外の広庭で、誰か、大きな声を出しているのが、耳にはいった。声がらでは、どうも、今日、途中まで迎えに出た、白髪の郎等が何か告げられているらしい。その

乾からびた声が、霜に響くせいか、凛々として凩のように、一語ずつ五位の骨に、応えるような気さえする。

「この辺の下人、承われ。——殿の御意遊ばさるるには、明朝、卯時までに、切口三寸、長さ五尺の山の芋を、老若各、一筋ずつ、持って参る様にとある。忘れまいぞ、卯時までにじゃ」

それが、二三度、繰返されたかと思うと、やがて、人のけはいが止んで、あたりは忽ち元のように、静な冬の夜になった。その静な中に、切燈台の油が鳴る。赤い真綿のような火が、ゆらゆらする。五位は欠伸を一つ、噛みつぶして、又、とりとめのない、思量に耽り出した。——山の芋と云うからには、勿論芋粥にする気で、持って来させるのに相違ない。そう思うと、一時、外に注意を集中したおかげで忘れていたさっきの不安が、何時の間にか、心に帰って来る。殊に、前よりも、一層強くなったのは、あまり早く芋粥にありつきたくないと云う心もちで、それが意地悪く、思量の中心を離れない。どうもこう容易に「芋粥に飽かむ」事が、事実となって現れては、折角今まで、何年となく、辛抱して待っていたのが、如何にも、無駄な骨折のように見えてしまう。出来る事なら、何か突然故障が起って、一旦、芋粥が飲めなくなってから、又、その故障がなくなって、今度は、やっとこれにありつけると云うような、そ

んな手続きに、万事を運ばせたい。——こんな考えが、「こまつぶり」のように、ぐるぐる一つ所を廻っている中に、何時か、五位は、旅の疲れで、ぐっすり、熟睡してしまった。

翌朝、眼がさめると、直に、昨夜の山の芋の一件が、気になるので、五位は、何よりも先に部屋の蔀をあげて見た。すると、寝すごして、もう卯時をすぎていたのであろう。広庭へ敷いた、四五枚の長筵の上には、丸太のような物が、凡そ、二三千本、斜につき出した、檜皮葺の軒先へつかえる程、山のように、積んである。見るとそれが、悉く、切口三寸、長さ五尺の途方もなく大きい、山の芋であった。

五位は、寝起きの眼をこすりながら、殆ど周章に近い驚愕に襲われて、呆然と、周囲を見廻した。広庭の所々には、新しく打ったらしい杭の上に五斛納釜を五つ六つかけ連ねて、白い布の襷を着た若い下司女が、何十人となく、そのまわりに動いている。火を焚きつけるもの、灰を掻くもの、或は、新しい白木の桶に、「あまずらみせん」を汲んで釜の中へ入れるもの、皆、芋粥をつくる準備で、眼のまわる程忙しい。釜の下から上る煙と、釜の中から湧く湯気とが、まだ消え残っている明方の靄と一つになって、広庭一面、はっきり物も見定められない程、灰色のものが罩めた中で、赤いのは、烈々と燃え上る釜の下の焰ばかり、眼に見るもの、耳に聞くもの悉く、戦場

か火事場へでも行ったような騒ぎである。五位は、今更のように、この巨大な山の芋が、この巨大な五斛納釜の中で、芋粥になる事を考えた。そうして、自分が、その芋粥を食う為に京都から、わざわざ、越前の敦賀まで旅をして来た事を考えた。考えれば考える程、何一つ、情無くならないものはない。我五位の同情すべき食慾は、実に、この時もう、一ぱいを減却してしまったのである。

それから、一時間の後、五位は利仁や舅の有仁と共に、朝飯の膳に向った。前にあるのは、銀の提の一斗ばかりはいるのに、なみなみと海の如くたたえた、恐るべき芋粥である。五位はさっき、あの軒まで積上げた山の芋を、何十人かの若い男が、薄刃を器用に動かしながら、片端から削るように、勢よく、切るのを見た。それからそれを、あの下司女たちが、右往左往に馳せちがって、一つのこらず、五斛納釜へすくっては入れ、すくっては入れするのを見た。最後に、その山の芋が、一つも長筵の上に見えなくなった時に、芋のにおいと、甘葛のにおいとを含んだ、幾道かの湯気の柱が、蓬々然として、釜の中から、晴れた朝の空へ、舞上って行くのを見た。これを、目のあたりに見た彼が、今、提に入れた芋粥に対した時、まだ、口をつけない中から、既に、満腹を感じたのは、恐らく、無理もない次第であろう。——五位は、提を前にして、間の悪そうに、額の汗を拭いた。

「芋粥に飽かれた事が、ござらぬげな。どうぞ、遠慮なく召上って下され」

舅の有仁は、童児たちに云いつけて、更に幾つかの銀の提を膳の上に並べさせた。中にはどれも芋粥が、溢れんばかりにはいっている。五位は眼をつぶって、唯でさえ赤い鼻を、一層赤くしながら、提に半分ばかりの芋粥を大きな土器にすくって、いやいやながら飲み干した。

「父もそう申すじゃて。平に、遠慮は御無用じゃ」

利仁も側から、新な提をすすめて、意地悪く笑いながらこんな事を云う。弱ったのは五位である。遠慮のない所を云えば、始めから芋粥は、一椀も吸いたくない。それを今、我慢して、やっと、提に半分だけ平げた。これ以上、飲めば、喉を越さない中にもどしてしまう、そうかと云って、飲まなければ、利仁や有仁の厚意を無にするのも、同じである。そこで、彼は又眼をつぶって、残りの半分を三分の一程飲み干した。もう後は一口も吸いようがない。

「何とも、忝のうござった。もう、十分頂戴致したて。——いやはや、何とも忝うござった」

五位は、しどろもどろになって、こう云った。余程弱ったと見えて、口髭にも、鼻の先にも、冬とは思われない程、汗が玉になって、垂れている。

「これは又、御少食な事じゃ、客人は、遠慮をされると見えたぞ。それそれ、その方ども、何を致しておる」

童児たちは、有仁の語につれて、新な提の中から、芋粥を、土器に汲もうとする。五位は、両手を蠅でも逐うように動かして、平に、辞退の意を示した。

「いや、もう、十分でござる。……失礼ながら、十分でござる」

もし、この時、利仁が、突然、向うの家の軒を指さして、「あれを御覧じろ」と云わなかったなら、有仁は猶、五位に、芋粥をすすめて、止まなかったかも知れない。が、幸にして、利仁の声は、一同の注意を、その軒の方へ、持って行った。檜皮葺の軒には、丁度、朝日がさしている。そうして、そのまばゆい光に、光沢のいい毛皮を洗わせながら、一疋の獣が、おとなしく、坐っている。見るとそれは一昨日、利仁が枯野の路で手捕りにした、あの阪本の野狐であった。

「狐も、芋粥が欲しさに、見参したそうな。男ども、しゃつにも、物を食わせてつかわせ」

利仁の命令は、言下に行われた。軒からとび下りた狐は、直に広庭で、芋粥の馳走に、与ったのである。

五位は、芋粥を飲んでいる狐を眺めながら、此処へ来ない前の彼自身を、なつかし

く、心の中でふり返った。それは、多くの侍たちに愚弄されている彼である。京童に*さえ「何じゃ。この鼻赤めが」と、罵られている彼である。色のさめた水干に、指貫をつけて、飼主のない尨犬のように、朱雀大路をうろついて歩く、憐む可き、孤独な彼である。しかし、同時に又、芋粥に飽きたいと云う欲望を、唯一人大事に守っていた、幸福な彼である。――彼は、この上芋粥を飲まずにすむと云う安心と共に、満面の汗が次第に、鼻の先から、乾いてゆくのを感じた。晴れてはいても、敦賀の朝は、身にしみるように、風が寒い。五位は慌てて、鼻をおさえると同時に銀の提に向って大きな嚔をした。

運

目のあらい簾が、入口にぶらさげてあるので、往来の容子は仕事場にいても、よく見えた。清水へ通う往来は、さっきから、人通りが絶えない。壺装束をした女が通る。その後からは、めずらしく、黄牛に曳かせた網代車が通った。それが皆、疎な簾の目を、右からも左からも、来たかと思うと、通りぬけてしまう。その中で変らないのは、午後の日が暖に春を炙っている、狭い往来の土の色ばかりである。

その人の往来を、仕事場の中から、何と云う事もなく眺めていた、一人の青侍が、この時、ふと思いついたように、主の陶器師へ声をかけた。

「相不変、観音様へ参詣する人が多いようだね」

「左様でございます」

陶器師は、仕事に気をとられていたせいか、少し迷惑そうに、こう答えた。が、これは眼の小さい、鼻の上を向いた、何処かひょうきんな所のある老人で、顔つきにも容子にも、悪気らしいものは、微塵もない。着ているのは、麻の帷子であろう。それ

に萎えた揉烏帽子をかけたのが、この頃評判の高い鳥羽僧正*の絵巻の中の人物を見るようである。

「私も一つ、日参でもして見ようか。こう、うだつが上らなくっちゃ、やりきれない」

「御冗談で」

「なに、これで善い運が授かるとなれば、私だって、信心をするよ。日参をしたって、参籠*をしたって、そうとすれば、安いものだからね。つまり、神仏を相手に、一商売をするようなものさ」

青侍は、年相応な上調子なもの言いをして、下唇を舐めながら、きょろきょろ仕事場の中を見廻した。——竹藪を後にして建てた、藁葺きのあばら家だから、中は鼻がつかえる程狭い。が、簾の外の往来に、目まぐるしく動くのに引換えて、此処では、甕でも瓶子*でも、皆赭ちゃけた土器の肌をのどかな春風に吹かせながら、百年も昔からそうしていたように、ひっそりかんと静まっている。どうやらこの家の棟ばかりは、燕さえも巣を食わないらしい。……

青侍は又語を継いだ。

「お爺さんなんぞも、この年までには、随分いろんな事を見たり聞いたりしたろうね。どうだい。観音様は、ほんとうに運を授けて下さるものかね」

翁が返事をしないので、

「左様でございます。昔は折々、そんな事もあったように聞いておりますが」

「どんな事があったね」

「どんな事と云って、そう一口には申せませんがな。——しかし、貴方がたは、そんな話をお聞きなすっても、格別面白くもございますまい」

「可哀そうに、これでも少しは信心気のある男なんだぜ。愈々運が授かるとなれば、明日にも——」

「信心気でございますかな。商売気でございますかな」

翁は、眦に皺をよせて笑った。捏ねていた土が、壺の形になったので、やっと気が楽になったと云う調子である。

「神仏の御考えなどと申すものは、貴方がた位の御年では、中々わからないものでございますよ」

「それはわからなかろうさ。わからないから、お爺さんに聞くんだあね」

「いやさ、神仏が運をお授けになる、ならないと云う事じゃございません。そのお授けになる運の善し悪しと云う事が」

「だって、授けて貰えばわかるじゃないか。善い運だとか、悪い運だとか」

「それが、どうも貴方がたには、ちとおわかりになり兼ねましょうて」

「私には運の善し悪しより、そう云う理屈の方が、わからなそうだね」

日が傾き出したのであろう。さっきから見ると、往来へ落ちる物売りの影が、心もち長くなった。その長い影をひきながら、頭に桶をのせた物売りの女が二人、簾の目を横に、通りすぎる。一人は手に宿への土産らしい桜の枝を持っていた。

「今、西の市で、績麻の鄽を出している女なぞもそうでございますが」

「だから、私はさっきから、お爺さんの話を聞きたがっているじゃないか」

二人は、暫の間、黙った。青侍は、爪で頤のひげを抜きながら、ぼんやり往来を眺めている。貝殻のように白く光るのは、大方さっきの桜の花がこぼれたのであろう。

「話さないかね。お爺さん」

やがて、眠むそうな声で、青侍が云った。

「では、御免を蒙って、一つ御話し申しましょうか。又、何時もの昔話でございますが」

こう前置きをして、陶器師の翁は、徐に話し出した。日の長い短いも知らない人でなくては、話せないような、悠長な口ぶりで話し出したのである。

「もうかれこれ三四十年前になりましょう。あの女がまだ娘の時分に、この清水の観音様へ、願がんをかけた事がございました。どうぞ一生安楽に暮せますようにと申しまし

てな。何しろ、その時分は、あの女もたった一人のおふくろに死別れた後で、それこそ日々の暮しにも差支えるような身の上でございましたから、そう云う願をかけたのも、満更無理はございません。
「死んだおふくろと申すのは、もと白朱社の巫子で、一しきりは大そう流行ったものでございますが、狐を使うと云う噂を立てられてからは、めっきり人も来なくなってしまったようでございます。これが又、白あばたの、年に似合わず水々しい、大がらな婆さんでございましてな、何さま、あの容子じゃ、狐どころか男でも……」
「おふくろの話よりは、その娘の話の方を伺いたいね」
「いや、これは御挨拶で。——そのおふくろが死んだので、後は娘一人の痩せ腕でございますから、いくらかせいでも、暮しの立てられようがございませぬ。そこで、あの容貌のよい、利発者の娘が、お籠りをするにも、檻褸故に、あたりへ気がひけると云う始末でございました」
「へえ、そんなに好い女だったかい」
「左様でございます。気だてと云い、顔と云い、手前の欲目では、先どこへ出しても、恥しくないと思いましたがな」
「惜しい事に、昔さね」

青侍は、色のさめた藍の水干の袖口を、ちょいとひっぱりながら、こんな事を云う。翁は、笑声を鼻から抜いて、又ゆっくり話しつづけた。後の竹藪では、頻に鶯が啼いている。

「それが、三七日の間、御籠りをして、今日が満願と云う夜に、ふと夢を見ました。何でも、同じ御堂に詣っていた連中の中に、背むしの坊主が一人いて、そいつが何か陀羅尼のようなものを、くどくど誦していたそうでございます。大方それが、気になったせいでございましょう。うとうと眠気がさして来ても、その声ばかりは、どうしても耳をはなれませぬ。とんと、縁の下で蚯蚓でも鳴いているような心もちで──すると、その声が、何時の間にやら人間の語になって、『ここから帰る路で、そなたに云いよる男がある。その男の云う事を聞くがよい』と、こう聞えるのでございますな。

「はっと思って、眼がさめると、坊主はやっぱり陀羅尼三昧でございます。が、何と云っているのだか、いくら耳を澄ましても、わかりませぬ。その時、何気なく、ひょいと向うを見ると、常夜燈のぼんやりした明りで、観音様の御顔が拝みなれた、端厳微妙の御顔でございますが、それを見ると、不思議にも又耳もとで、『その男の云う事を聞くがよい』と、誰だか云うような気がしたそうでございます。

そこで、娘はそれを観音様の御告だと、一図に思いこんでしまいましたげな」

「はてね」

「さて、夜がふけてから、御寺を出て、だらだら下りの坂路を、五条へくだろうとしますと、案の定後から、男が一人抱きついてきました。丁度、春さきの暖い晩でございましたが、生憎の暗で、相手の男の顔も見えなければ、着ている物などは、猶の事わかりませぬ。唯、ふり離そうとする拍子に、手が向うの口髭にさわりました。いやはや、とんだ時が、満願の夜に当ったものでございます。

「その上、相手は、名を訊かれても、所を申しませぬ。唯、云う事を聞けと云うばかりで、坂下の路を北へ北へ、抱きすくめたまま、引きずるようにして、つれて行きます。泣こうにも、喚こうにも、まるで人通りのない時分なのだから、仕方がございませぬ」

「ははあ、それから」

「それから、とうとう八坂寺の塔*の中へ、つれこまれて、その晩は其処ですごしたそうでございます。──いや、その辺の事なら、何も年よりの手前などが、わざわざ申し上げるまでもございますまい」

翁は、又眦に皺をよせて、笑った。往来の影は、愈々長くなったらしい。吹くとも

なく渡る風のせいであろう、其処此処に散っている桜の花も、何時の間にかこっちへ吹きよせられて、今では、雨落ちの石の間に、点々と白い色をこぼしている。

「冗談云っちゃいけない」

青侍は、思い出したように、頤のひげを抜き抜き、こう云った。

「それで、もうおしまいかい」

「それだけなら、何もわざわざお話し申すがものはございませぬ」翁は、やはり壺をいじりながら、「夜があけると、その男が、こうなるのも大方宿世の縁だろうから、とてもの事に夫婦になってくれと申したそうでございます」

「成程」

「夢の御告げでもないならともかく、娘は、観音様のお思召し通りになるのだと思ったものでございますから、とうとう首を竪にふりました。さて形ばかりの盃事をすませると、先、当座の用にと云って、塔の奥から出して来てくれたのが綾を十疋に絹を十疋でございます。——この真似ばかりは、いくら貴方にもちとむずかしいかも存じませんな」

青侍は、にやにや笑うばかりで、返事をしない。鶯も、もう啼かなくなった。

「やがて、男は、日の暮に帰ると云って、娘一人を留守居に、慌しく何処かへ出て参

りました。その後の淋しさは、又一倍でございましょう。いくら利発者でも、こうなると、さすがに心細くなるのでございましょう。そこで、心晴らしに、何気なく塔の奥へ行って見ると、どうでございましょう、綾や絹は愚かな事、珠玉とか砂金とか云う金目の物が、皮匣に幾つとなく、並べてあると云うじゃございませぬか。これには、ああ云う気丈な娘でも、思わず吐胸をついたそうでございます。
「物にもよりますが、こんな財物を持っているからは、もう疑はございませぬ。引剝でなければ、物盗りでございます。——そう思うと、今までは唯、さびしいだけだったのが、急に、怖いのも手伝って、何だか片時も此処にこうしては、いられないような気になりました。何さま、悪く放免の手にでもかかろうものなら、どんな目に遭うかも知れませぬ。
「そこで、逃げ場をさがす気で、急いで戸口の方へ引返そうと致しますと、誰だか、皮匣の後から、しわがれた声で呼びとめました。何しろ、人はいないとばかり思っていた所でございますから、驚いたの驚かないのじゃございませぬ。見ると、人間とも海鼠ともつかないようなものが、砂金の袋を積んだ中に、円くなって、坐っております。——これが目くされの、皺だらけの、腰のまがった、背の低い、六十ばかりの尼法師でございました。しかも娘の思惑を知ってか、知らないでか、膝で前へのり出し

ながら、見かけによらない猫撫で声で、初対面の挨拶をするのでございます。
「こっちは、それどころの騒ぎではないのでございますが、何しろ逃げようと云う巧みをけどられなどしては大変だと思ったので、しぶしぶ皮匣の上に肘をつきながら心にもない世間話をはじめました。どうも話の容子では、この婆さんが、今まであの男の炊女が何かつとめていたらしいのでございます。が、男の商売の事になると、妙に一口も話しませぬ。それさえ、気になるのに、その尼が又、少し耳が遠いと来ているものでございますから、一つ話を何度となく、云い直したり聞き直したりするので、こっちはもう泣き出したい程、気がじれます。──
「そんな事が、かれこれ午までつづいたでございましょう。すると、やれ清水の桜が咲いたの、やれ五条の橋普請が出来たのと云っている中に、幸、年の加減か、この婆さんが、そろそろ居睡りをはじめました。一つは娘の返答が、はかばかしくなかったせいもあるのでございましょう。そこで、娘は、折を計って、相手の寝息を窺いながら、そっと入口まで這って行って、戸を細目にあけて見ました。外にも、いい案配に、人のけはいはございませぬ。
「此処でそのまま、逃げ出してしまえば、何事もなかったのでございますが、ふと今朝貰った綾と絹との事を思い出したので、それを取りに、又そっと皮匣の所まで帰っ

て参りました。すると、どうした拍子か、砂金の袋にけつまずいて、思わず手が婆さんの膝にさわったから、たまりませぬ。尼の奴め驚いて眼をさますと、暫は唯、あっけにとられて、いたようでございますが、急に気ちがいのようになって、娘の足にかじりつきました。そうして、半分泣き声で、早口に何かしゃべり立てます。切れ切れに、語が耳へはいる所では、万一娘に逃げられたら、自分がどんなひどい目に遇うかも知れないと、こう云っているらしいのでございますな。が、こっちも此処にいては命にかかわると云う時でございますから、元よりそんな事に耳をかす訳がございませぬ。そこで、とうとう、女同志のつかみ合がはじまりました。
「打つ。蹴る。砂金の袋をなげつける。――梁に巣を食った鼠も、落ちそうな騒ぎでございます。それに、こうなると、死物狂いだけに、婆さんの力も、莫迦には出来ません。が、そこは年のちがいでございましょう。間もなく、娘が、綾と絹とを小脇にかかえて、息を切らしながら、塔の戸口をこっそり、忍び出た時には、尼はもう、口もきかないようになっておりました。これは、後で聞いたのでございますが、屍骸は、鼻から血を少し出して、頭から砂金を浴びせられたまま、薄暗い隅の方に、仰向けになって、臥ていたそうでございます。
「こっちは八坂寺を出ると、町家の多い所は、さすがに気がさしたと見えて、五条

京極辺※の知人の家をたずねました。この知人と云うのも、その日暮しの貧乏人なのでございますが、絹の一疋もやったからでございましょう、湯を沸かすやら、粥を煮るやら、いろいろ経営してくれたそうでございます。そこで、娘も漸く、ほっと一息つく事が出来ました」

「私も、やっと安心したよ」

青侍は、帯にはさんでいた扇をぬいて、ぱちつかせた。その夕日の中を、今しがた白丁※が五六人、騒々しく笑い興じながら、通りすぎたが、影はまだ往来に残っている。……

「ところが」翁は大仰に首を振って、「その知人の家に居りますと、急に往来の人通りがはげしくなって、あれを見い、あれを見いと、罵り合う声が聞えます。何しろ、後暗い体ですから、娘は又、胸を痛めました。あの物盗りが仕返しにでも来たものか、さもなければ、検非違使の追手がかかりでもしたものか、――そう思うとも、おちおち、粥を啜ってもおられませぬ」

「じゃそれで愈々けりがついたと云う訳だね」

「成程」

「そこで、戸の隙間から、そっと外を覗いて見ると、見物の男女の中を、放免が五六

人、それに看督長*が一人ついて、物々しげに通りました。それからその連中にかこまれて、縄にかかった男が一人、所々裂けた水干を着て烏帽子*もかぶらず、曳かれて参ります。どうも物盗りを捕えて、これからその住家へ、実録*をしに行く所らしいのでございますな。

「しかも、その物盗りと云うのが、昨夜、五条の坂で云いよった、あの男だそうじゃございませぬか。娘はそれを見ると、何故か、涙がこみ上げて来たそうでございます。これは、当人が、手前に話しました——何も、その男に惚れていたの、どうしたのと云う訳じゃない。が、その縄目をうけた姿を見たら、急に自分がいじらしくなって、思わず泣いてしまったと、まあこう云うのでございますがな。まことにその話を聞いた時には、手前もつくづくそう思いましたよ——」

「何とね」

「観音様へ願をかけるのも考え物だとな」

「だが、お爺さん。その女は、それから、どうにかやって行けるようになったのだろう」

「どうにかどころか、今では何不自由ない身の上になっております。その綾や絹を売ったのを本に致しましてな。観音様も、これだけは、御約束をおちがえになりませ

「それなら、その位な目に遇っても、結構じゃないか」

外の日の光は、何時の間にか、黄いろく夕づいた。往来の人通りも、暫くはとだえたらしい。かすかながら其処此処から聞えて来る。その中を、風だった竹藪の音が、

「人を殺したって、物盗りの女房になったって、する気でしなければ、仕方がないやね」

「とにかく、その女は仕合せ者だよ」

青侍は、扇を帯へさしながら、立上った。翁も、もう提の水で、泥にまみれた手を洗っている——二人とも、どうやら、暮れてゆく春の日と、相手の心もちとに、物足りない何ものかを、感じてでもいるような容子である。

「御冗談で」

「まったくさ。お爺さんも、そう思うだろう」

「手前でございますか。手前なら、そう云う運はまっぴらでございますな」

「へええ、そうかね。私なら、二つ返事で、授けて頂くがね」

「じゃ観音様を、御信心なさいまし」

「そうそう、明日から私も、お籠でもしようよ」

袈裟と盛遠

夜、盛遠*が築土の外で、月魄*を眺めながら、落葉を踏んで物思いに耽っている。

その独白

「もう月の出だな。何時もは月が出るのを待ちかねる己も、今日ばかりは明くなるのがそら恐しい。今までの己が一夜の中に失われて、明日からは人殺になり果てるのだと思うと、こうしていても、体が震えて来る。この両の手が血で赤くなった時を想像して見るが好い。その時の己は、己自身にとって、どの位呪わしいものに見えるだろう。それも己の憎む相手を殺すのだったら、己は何もこんなに心苦しい思をしなくてもすんだのだが、己は今夜、己の憎んでいない男を殺さなければならない。渡左衛門尉と云う名は、今度の事に就いて己はあの男を以前から見知っている。色の白い顔を見覚えたのは、何時の事だかわ知ったのだが、男にしては柔しすぎる、

からない。それが袈裟の夫だと云う事を知った時、己が一時嫉妬を感じたのは事実だった。しかしその嫉妬も、今では己の心の上に何一つ痕跡を残さないで、綺麗に消え失せてしまっている。だから渡は己にとって、恋の仇とは云いながら、憎くもなければ、恨めしくもない。いや、寧己はあの男に同情していると云っても、よい位だ。衣川*の口から渡が袈裟を得る為に、どれだけ心を労しているかを聞いた時、己は現にあの男を可愛く思った事さえある。渡は袈裟を妻にしたい一心で、わざわざ歌の稽古までしたと云う事ではないか。己はあの生真面目な侍の作った恋歌を想像すると、知らず識らず微笑が唇に浮んで来る。しかしそれは何も、渡を嘲る微笑ではない。己はそうまでして、女に媚びるあの男をいじらしく思うのだ。或は己の愛している女に、それ程までに媚びようとするあの男の熱情が、愛人たる己に或種の満足を与えてくれるからかも知れない。

 しかしそう云える程、己は袈裟を愛しているだろうか。己と袈裟との間の恋愛は、今と昔との二つの時期に別れている。己は袈裟がまだ渡に縁づかない以前に、既に袈裟を愛していた。或は愛していると思っていた。が、これも今になって考えると、その時の己の心もちには不純なものも少くはない。己は袈裟に何を求めたのか、童貞だった頃の己は、明に袈裟の体を求めていた。もし多少の誇張を許すなら、己の袈裟に

対する愛なるものも、実はこの欲望を美しくした、感傷的な心もちに過ぎなかった。それが証拠には、袈裟との交渉が絶えたその後の三年間、成程己はあの女の事を忘ずにいたにちがいないが、もしその以前に己があの女の体を知っていたなら、それでもやはり忘れずに思いつづけていたであろうか。己は恥しながら、然りと答える勇気はない。己が袈裟に対するその後の愛着の中には、あの女の体を知らずにいる未練が可成混っている。そうして、その悶々の情を抱きながら、己はとうとう己の恐れていた、しかも己の待っていた、この今の関係にはいってしまった。では今は？　己は改めて己自身に問いかけよう。己は果して袈裟を愛しているだろうか。

が、その答をする前に、己はまだ一通り、嫌でもこう云ういきさつを思い出す必要がある。――渡辺の橋の供養の時、三年ぶりで偶然袈裟にめぐり遇った己は、それから凡そ半年ばかりの間、あの女と忍び合う機会を作る為に、あらゆる手段を試みた。そうしてそれに成功した。いや、成功したばかりではない、当時の己を支配していたものは、必しも前に云った、まだあの女の体を知らないと云う未練ばかりだった訳ではない。己は衣川の家で、袈裟と一つ部屋の畳へ坐った時、既にこの未練が何時か薄くなっているのに気がついた。それは己がもう童貞でなかったと云う事も、その場になって、己の

欲望を弱める役に立ったのであろう。しかしそれよりも、主な原因は、あの女の容色が、衰えていると云う事だった。実際今の袈裟は、もう三年前の袈裟ではない。皮膚は一体に光沢を失って、眼のまわりにはうす黒く暈のようなものが輪どっている。頬のまわりや頤の下にも、以前の豊な肉附きが、嘘のようになくなってしまった。僅に変らないものと云っては、あの張りのある、黒瞳勝な、水々しい眼ばかりであろうか。——この変化は己の欲望にとって、確に恐しい打撃だった。己は三年ぶりで始めてあの女と向い合った時、思わず視線をそらさずにはいられなかった程、強い衝動を感じたのを未にはっきり覚えている。

では、比較的そう云う未練を感じていない己が、どうしてあの女に関係したのであろう。己は第一に、妙な征服心に動かされた。袈裟は己と向い合っていると、あの女が夫の渡に対して持っている愛情を、わざと誇張して話して聞かせる。しかも己にはそれが、どうしても或空虚な感じしか起させない。『この女は自分の夫に対して虚栄心を持っている』——己はこう考えた。『或はこれも、己の憐憫を買いたくないと云う反抗心の現れかも知れない』——己は又こうも考えた。そうしてそれと共に、この嘘を曝露させてやりたい気が、刻々に強く己へ働きかけた。唯、何故それを嘘だと思ったかと云われれば、それを嘘だと思った所に、己の己惚れがあると云われれば、己

には元より抗弁するだけの理由はない。それにも関らず、己はその嘘だと云う事を信じていた。今でも猶信じている。
が、この征服心もまた、当時の己を支配していたすべてではない。その外に――己はこう云っただけでも、己の顔が赤くなるような気がする。己はその外に、純粋な情欲に支配されていた。それはあの女の体を知らないと云う未練ではない。もっと下等な、相手があの女である必要のない、欲望の為の欲望だ。恐らくは傀儡*の女を買う男でも、あの時の己程は卑しくなかった事であろう。
とにかく己はそう云ういろいろな動機で、とうとう袈裟と関係した。と云うよりも袈裟を辱かしめた。そうして今、己の最初に出した疑問へ立ち戻ると、――いや、己が袈裟を愛しているかどうかなどと云う事は、いくら己自身に対してでも、今更改めて問う必要はない。己は寧、時にはあの女に憎しみさえも感じている。殊に万事が完ってから、泣き伏しているあの女を、無理に抱き起した時などは、袈裟は破廉恥の己よりも、より破廉恥な女に見えた。乱れた髪のかかりと云い、汗ばんだ顔の化粧と云い、一つとしてあの女の心と体との醜さを示していないものはない。もしそれまでの己があの女を愛していたとしたなら、その愛はあの日を最後として、永久に消えてしまったのだ。或は、もしそれまでの己があの女を愛していなかったとしたなら、あの日か

ら己の心には新しい憎しみが生じたと云ってもまた差支えない。そうして、ああ、今夜己はその己が愛していない女の為に、己が憎んでいない男を殺そうと云うのではないか！

それも全く、誰の罪でもない。己がこの己の口で、公然と云い出した事なのだ。『渡を殺そうではないか』*——己があの女の耳に口をつけて、こう囁いた時の事を考えると、我ながら気が違っていたのかとさえ疑われる。しかし己は、そう囁いた。囁くまいと思いながら、歯を食いしばってまでも囁いた。己にはそれが何故囁きたかったのか、今になって振りかえって見ると、どうしてもよくはわからない。が、もし強いて考えれば、己はあの女を蔑めば蔑む程、憎く思えば思う程、益〻何かあの女に凌辱を加えたくてたまらなくなった。それには渡左衛門尉を、——袈裟がその愛を衒っていた夫を殺そうとあの女に、否応なく承諾させる位、目的に協った事はない。そこで己は、まるで悪夢に襲われた人間のように、したくもない人殺しを、無理にあの女に勧めたのであろう。それでも己が渡を殺そうと云った、動機が十分でなかったなら、後は人間の知らない力が、（天魔波旬*とでも云うが好い）己の意志を誘って、邪道へ陥れたとでも解釈するより外はない。とにかく、己は執念深く、何度も同じ事を繰返して、袈裟の耳に囁いた。

すると袈裟は暫くして、急に顔を上げたと思うと、素直に己の目もちに承知すると云う返事をした。が、己にはその返事の容易だったのが、意外だったばかりではない。その袈裟の顔を見ると、今までに一度も見えなかった不思議な輝きが眼に宿っている。姦婦――そう云う気が、己はすぐにした。と同時に、失望に似た心もちが、急に己の目ろみの恐しさを、己の眼の前へ展げて見せた。その間も、あの女の淫りがましい凋れた容色の厭らしさが、絶えず己を虐んでいた事は、元よりわざわざ云う必要もない。もし出来たなら、その時に、己は己の約束をその場で破ってしまいたかった。そうして、あの不貞な女を、辱しめと云う辱しめのどん底まで、つき落してしまいたかった。そうすれば己の良心は、たとえあの女を弄んだにしても、まだそう云う義憤の後に、避難する事が出来たかも知れない。が、己にはどうしても、そうする余裕が作れなかった。まるで己の心もちを見透しでもしたように、急にあの女が、じっと己の眼を見つめた時、――己は正直に白状する。己が日と時刻とをきめて、渡を殺す約束を結ぶような羽目に陥ったのは、完く万一己が承知しない場合に、袈裟が己に加えようとする復讐の恐怖からだった。いや、今でも猶この恐怖は、執念深く己の心を捕えている。臆病だと晒す奴は、いくらでも晒うが好い。それはあの時の袈裟を知らないもののする事だ。『己が渡を殺さないとすれば、よし袈裟自身は手を下さ

ないにしても、必ず己はこの女に殺されるだろう。その位なら己の方で渡してしまってやる』——涙がなくて泣いているあの女の眼を見た時に、己は絶望的にこう思った。しかもこの己の恐怖は、己が誓言をした後で、袈裟が蒼白い顔に片靨をよせながら、目を伏せて笑ったのを見た時に、裏書きをされたではないか。

ああ、己はその呪わしい約束の為に、汚れた上にも汚れた心の上へ、今又人殺しの罪を加えるのだ。もし今夜に差迫って、この約束を破ったなら——これも、やはり己には堪えられない。一つには誓言の手前もある。そうして又一つには、——己は復讐を恐れると云った。それも決して嘘ではない。しかしその上にまだ何かある。それは何だ？ 己にはわからない。この臆病な己を追いやって罪もない男を殺させる、その大きな力は何だ？ 己にはわからない。わからないが、事によると——いやそんな事はない。己はあの女を蔑んでいる。恐れている。憎んでいる。しかしそれでも猶、己はあの女を愛しているせいかも知れない」

盛遠は徘徊を続けながら、再び口を開かない。月明。どこかで今様*を謡う声がする。げに人間の心こそ、無明の闇も異らね、ただ煩悩の火と燃えて、消ゆるばかりぞ命なる。

夜、袈裟が帳台＊の外で、燈台の光に背きながら、袖を嚙んで物思いに耽っている。

下

＊その独白

「あの人は来るのかしら、来ないのかしら。もうかれこれ月が傾くのに、足音もしないところを見ると、急に気でも変ったではあるまいか。もしひょっとして来なかったら——ああ、私はまるで傀儡の女のようにこの恥しい顔をあげて、又日の目を見なければならない。そんなあつかましい、邪な事がどうして私に出来るだろう。その時の私こそ、あの路ばたに捨ててある屍骸と少しも変りはない。辱められ、踏みにじられ、揚句の果にその身の恥をのめのめと明るみに曝されて、それでもやはり啞のように黙っていなければならないのだから。私は万一そうなったら、たとい死んでも死にきれない。いやいや、あの人は必ず来る。私はこの間別れ際に、あの人の眼を覗きこんだ時から、そう思わずにはいられなかった。あの人は私を怖がっている。私を憎み、私を蔑みながら、それでも猶私を怖がってい

る。成程私が私自身を頼みにするのだったら、あの人が必ず来るとは云われないだろう。が、私はあの人を頼みにしている。あの人の利己心を頼みにしている。だから私はこう云われるのだ。あの人の心はきっと忍んで来るのに違いない。……

しかし私自身を頼みにする事の出来なくなった私は、何と云うみじめな人間だろう。三年前の私は、私自身を、この私の美しさを、何よりもまた頼みにしていた。三年前と云うよりも、或はあの日までと云った方が、もっとほんとうに近いかも知れない。あの日、伯母様の家の一間で、あの人と会った時に、私はたった一目見たばかりで、あの人の心に映っている私の醜さを知ってしまった。あの人は何事もないような顔をして、いろいろ私を唆かすような、やさしい語をかけてくれる。が、一度自分の醜さを知った女の心が、どうしてそんな語に慰められよう。私は唯、口惜しかった。恐しかった。悲しかった。子供の時に乳母に抱かれて、月蝕を見た気味の悪さも、あの時の心もちに比べれば、どの位ましだかわからない。私の持っていたさまざまな夢は、一度にどこかへ消えてしまう。後には唯、雨のふる明け方のような寂しさが、じっと私の身のまわりを取り囲んでいるばかり――私はその寂しさに震えながら、死んだも同様なこの体を、とうとうあの人に任せてしまった。愛してもいないあの人に、私を

憎んでいる、私を蔑んでいる、色好みなあの人に。——私は私の醜さを見せつけられた、その寂しさに堪えなかったのであろうか。そうしてあの人の胸に顔を当てる、熱に浮かされたような一瞬間にすべてを欺こうとしたのであろうか。さもなければ又、あの人同様、私も唯汚らわしい心もちに動かされていたのであろうか。そう思っただけでも、私は恥しい。恥しい。恥しい。殊にあの人の腕を離れて、又自由な体に帰った時、どんなに私は私自身を浅ましく思った事であろう。

私は腹立たしさと寂しさとで、いくら泣くまいと思っても、止め度なく涙が溢れて来た。けれども、操を破られたと云う事だけが悲しかった訳ではない。操を破られながら、その上にも卑められていると云う事が、丁度癩を病んだ犬のように、憎まれながらも虐まれていると云う事が、何よりも私には苦しかった。そうしてそれから私は一体何をしていたのであろう。今になって考えると、それも遠い昔の記憶のように朧げにしかわからない。唯、すすり上げて泣いている間に、あの人の口髭が私の耳にさわったと思うと、熱い息と一しょに低い声で、『渡を殺そうではないか』と云う語が、囁かれたのを覚えている。生々した？もし月の光が明いと云うなら、それも生々した心もちであろう。が、それはどこまでも日の光の明さとは違う、不思議に生々した心もちになった。私はそれを聞くと同時に、未に自分にもわか

生々した心もちだった。しかし私は、やはりこの恐しい語の為に、慰められたのではなかったろうか。ああ、私は、女と云うものは、自分の夫を殺してまでも、猶人に愛されるのが嬉しく感ぜられるものなのだろうか。

私はその月夜の明さに似た、寂しい、生々した心もちで、又暫く泣きつづけた。そうして？　そうして？　何時、私は、あの人の手引をして夫を討たせると云う約束を、結んでなどしまったのであろう。しかしその約束を結ぶと一しょに、私は始めて夫の事を思出した。私は正直に始めてと云おう。それまでの私の心は、唯、私の事を、辱められた私の事を、一図にじっと思っていた。それがこの時、夫の事を、あの内気な夫の事を、——いや、夫の事ではない。私に何か云う時の、微笑した夫の顔を、ありあり眼の前に思い出した。私のもくろみが、ふと胸に浮んだのも、恐らくその顔を思い出した刹那の事であったろう。何故と云えば、その時に私はもう死ぬ覚悟をきめていた。そうして又きめる事の出来たのが嬉しかった。しかし泣き止んだ私が顔を上げて、あの人の方を眺めた時、そうしてそこに前の通り、あの人の心に映っている私の醜さを見つけた時、私の嬉しさが一度に消えてしまったようなものしていまう。それは——私は又、乳母と見た月蝕の暗さを思い出してしまう。それはこの嬉しさの底に隠れている、さまざまの物の怪を一時に放ったようなものだった。私が夫の身代

になると云う事は、果して夫を愛しているからだろうか。いや、いや、私はそう云う都合の好い口実の後で、あの人に体を任かした私の罪の償いをしようと云う気を持っていた。自害をする勇気のない私は。少しでも世間の眼に私自身を善く見せたい、さもしい心もちがある私は。けれどもそれはまだ大目にも見られよう。私はもっと卑しかった。もっと、もっと醜かった。夫の身代りに立つと云う名の下で、私はあの人の憎しみに、あの人の蔑みに、そうしてあの人が私を弄んだ、その邪な情欲に、仇を取ろうとしていたではないか。それが証拠には、あの人の顔を見ると、あの月の光のような、不思議な生々しさも消えてしまって、忽ち私の心を凍らせてしまう。私は夫の為に死ぬのではない。唯、悲しい心もちばかりが、私の心を傷けられた口惜しさと、私の体を汚された恨めしさと、その二つの為に死のうとする。死に甲斐さえもなかったのだ。ああ、私は生き甲斐がなかったばかりではない。私は夫の為に死のうとする。

しかしその死甲斐のない死に方でさえ、生きているよりは、どの位望ましいかわからない。私は悲しいのを無理にほほ笑みながら、繰返してあの人と夫を殺す約束をしました。感じの早いあの人は、そう云う私の語から、もし万一約束を守らなかった暁には、どんなことを私がしでかすか、大方推察のついた事であろう。して見れば、誓言までしたあの人が、忍んで来ないと云う筈はない。——あれは風の音であろうか——あの

日以来の苦しい思が、今夜でやっと尽きるかと思えば、さすがに気の緩むような心もちもする。明日の日は、必ず首のない私の屍骸の上に、うすら寒い光を落すだろう。それを見たら、夫は——いや、夫の事は思うまい、夫は私を愛している。けれども私にはその愛を、どうしようと云う力もない。昔から私にはたった一人の男しか愛せなかった。そうしてその一人の男が、今夜私を殺しに来るのだ。この燈台の光でさえ、そう云う私には晴れがましい。しかもその恋人に、虐まれ果てている私には」

袈裟は、燈台の火を吹き消してしまう。程なく、暗の中でかすかに蔀を開く音。それと共にうすい月の光がさす。

邪

宗

門*

一

先頃大殿様御一代中で、一番人目を駭かせた、地獄変の屛風の由来を御話致そうかと存じましたから、今度は若殿様の御生涯で、たった一度の不思議な出来事を御話致そうかと存じております。が、その前に一通り、思いもよらない急な御病気で、大殿様が御薨去になった時の事を、あらまし申し上げて置きましょう。

あれは確か、若殿様の十九の御年だったかと存じます。思いもよらない急な御病気と云うものの、実はかれこれその半年ばかり前から、御厩の白馬が一夜の内に黒くなりますやら、御庭の紅梅が時ならず一度に花を開きますやら、御池の水が見る間に干上って、鯉や鮒が泥の中で喘ぎますやら、いろいろ凶あれは確か、若殿様の十九の御年だったかと存じます。中でも殊に空恐ろしく思われたのは、或女房の夢枕に、良秀の娘の乗ったような、炎々と火の燃えしきる車が一輛、人面の獣に曳かれながら、天から下りて来たと思いますような、その車の中からやさしい声がして、「大殿様をこれへ御迎え申せ」と、呼わったそうでございます。その時、その人面の獣が怪しく唸って、

頭を上げたのを眺めますと、夢現の暗の中にも、唇ばかり生々しく赤かったので、思わず金切声をあげながら、その声でやっと我に返りましたが、総身はびっしょり冷汗で、胸さえまるで早鐘をつくように躍っていたとか申しました。

でございますから、北の方を始め、私どもまで心を痛めて、御屋形の門々に陰陽師の護符も貼りましたし、有験の法師たちを御召しになって、種々の御祈禱も御上げにもなりましたが、これも誠に遁れ難い定業ででもございましたろう。或日——それも雪もよいの、底冷がする日の事でございましたが、今出川の大納言様の御屋形から、御帰りになる御車の中で、急に大熱に御発しになり、御帰館遊ばした時分には、もう唯「あた、あた」と仰有るばかり、あまつさえ御身のうちは、一面に気味悪く紫立って御褥の白綾も焦げるかと思う御気色になりました。元よりその時も御枕もとには、法師、医師、陰陽師などが、皆それぞれに肝胆を砕いて、必死の力を尽しましたが、御熱は益烈しくなって、やがて御床の上まで転び出ていらっしゃると、忽ち別人のような嗄れた御声で、「あおう、身のうちに火がついたわ。この煙りは如何致した」と、狂おしく御叱りになったまま、僅三時ばかりの間に、何とも申し上げる語もない、無残な御最期でございます。その時の悲しさ、恐ろしさ、勿体なさ——今になって考えましても、部に迷っている、護摩の煙と、右往左往に泣き惑っている女房たちの袴の

紅とが、あの茫然とした験者や術師たちの姿と一しょに、ありありと眼に浮かんで、かいつまんだ御話を致すのさえ、涙が先に立って仕方がございません。が、そう云う思い出の内でも、あの御年若な若殿様が、少しも取乱した大殿様の御枕元へ坐っていらっしった事を考唯、青ざめた御顔を曇らせながら、じっと大殿様の御枕元へ坐っていらっしった事を考えると、何故かまるで磨とすました焼刃の匂いでも嗅ぐような、身にしみて、ひやりとする、それでいてやはり頼もしい、妙な心もちが致すのでございます。

二

御親子の間がらでありながら、大殿様と若殿様との間柄、御容子から御性質まで、うらうえなのも稀でございましょう。大殿様は御承知の通り、大兵肥満でいらっしゃいますが、若殿様は中背の、どちらかと申せば痩ぎすな御生れ立ちで、御容貌も大殿様のどこまでも男らしい、神将のような俤とは、似もつかない御優しさでございます。眉の迫った、眼の涼しこれはあの御美しい北の方に、瓜二つとでも申しましょうか。眉の迫った、眼の涼しい、心もち口もとに癖のある、女のような御顔立ちで、どこかそこにうす暗い、沈んだ影がひそんでいて、殊に御装束でも召しますと、御立派と申しますより、殆神寂ているとでも申し上げたい位、如何にももの静な御威光がございまし

が、大殿様と若殿様とが、取り分け違っていらっしったのは、どちらかと云えば、御気象の方で、大殿様のなさる事は、すべてが豪放で、雄大で、何でも人目を驚かさなければ止まないと云う御勢いでございましたが、若殿様の御好みは、どこまでも繊細で、またどこまでも優雅な趣がございましたように存じております。たとえば大殿様の御心もちが、あの堀川の御所に窺われます通り、菅相丞の御歌をそのままな、或は又その流りたった竜田の院は、御規模こそ小そうございますが、若殿様が若王子に御造りになったへ御放しになった、その御庭を縫っている清らかな一すじの流れと申し、一つとして若殿様の奥床しい御思召しの程が、現れていないものはございません。

　そう云う次第でございますから、大殿様は何かにつけて、武張った事を御好みになりましたが、若殿様は又詩歌管絃を何よりも御喜びなさいまして、その道々の名人上手とは、御身分の上下も御忘れになったような、隔てない御つき合いがございました。いや、それも唯、そう云うものが御好きだったと申すばかりでなく、御自分も永年御心を諸芸の奥秘に御潜めになったので、笙こそ御吹きになりませんでしたが、あの名高い帥民部卿以来三舟に乗るものは、若殿様御一人であろうなどと、噂のあった程で

ございます。でございますから、御家の集にも、若殿様の秀句や名歌が、今に沢山残っておりますが、中でも世上に評判が高かったのは、あの良秀が五趣生死の図を描いた竜蓋寺の仏事の節、二人の唐人の問答を御聞きになって、御詠みになった歌でございましょう。これはその時磬の模様に、八葉の蓮華を挾んで二羽の孔雀が鋳つけてあったのを、その唐人たちが眺めながら、「捨身惜花思」と云う一人の声の下から、もう一人が「打不立有鳥」と答えました――その意味合いが解せないので、そこに居合わせた人々が、とかくの詮議立てをしておりますと、それを御聞きになった若殿様が、御持ちになった扇の裏へさらさらと美しく書き流して、その人々のいる中へ御遣しになった歌でございます。

身をすてて花を惜しとや思ふらむ打てども立たぬ鳥もありけり

　　　　三

　大殿様と若殿様とは、かように万事がかけ離れていらっしゃいましたから、それだけまた御二方の御仲にも、そぐわない所があったようでございます。これにも世間はとかくの噂がございまして、中には御親子で、同じ宮腹の女房を御争いになったからだなどと、申すものもございますが、元よりそのような莫迦げた事があろう筈はご

ざいません。何でも私の覚えております限りでは、若殿様が十五六の御年に、もう御二方の間には、御不和の芽がふいていたように御見受け申しました。これは前にもちょいと申し上げて置きましたが、若殿様が笙だけは御吹きにならないと云う、その謂われに縁のある事なのでございます。

その頃、若殿様は大そう笙を御好みで、遠縁の従兄に御当りなさる、伽陵と云う名高い笙と、大食調入食調の譜とを、代々御家に御伝えになっていらっしゃる、その道でも稀代の名人だったのでございます。

若殿様はこの少納言の御手許で、長らく切磋琢磨の功を御積みになりますと、少納言はどう思召したのか、この大食調入食調の伝授の御望みになりました。それが再三押して御頼みになっても、やはり仰せばかりは御聞き入れになりません。それが再三押して御頼みになっても、やはりこの御満足の行くような御返事がなかったので、御年若な若殿様は、一方ならず残念に思召したのでございます。或日大殿様の双六の御相手をなすっていらっしゃる時に、ふとその御不満を御洩しになりました。すると大殿様は何時ものように鷹揚に御笑いになりながら、「そう不平は云わぬものじゃ。やがてはその譜も手にはいる時節があるであろう」と、やさしく御慰めになったそうでございます。ところがそれから半月

とたたない或日の事、中御門の少納言は、堀川の御屋形の饗へ御出になった帰りに俄に血を吐いて御歿りになってしまいました。が、それは先づ、よろしいと致しまして、その明くる日、若殿様が何気なく御居間へ御出でになると、螺鈿を鏤めた御机の上に、あの伽陵の笙と大食調入食調の譜とが、誰が持って来たともなく、ちゃんと載っていたと申すではございませんか。

その後又大殿様が若殿様を御相手に双六を御打ちになった時、
「この頃は笙も一段と上達致したであろうな」と、念を押すように仰有ると、若殿様はじっと盤面を御眺めになったまゝ
「いや笙はもう一生、吹かない事に致しました」と、吐き出すように御答えになりました。

「何として又、吹かぬ事に致したな」
「聊かながら、少納言の菩提を弔おうと存じまして」
こう仰有って若殿様は、鋭く父上の御顔を御見つめになりました。が、大殿様はまるでその御声が聞えないように勢いよく筒を振りながら、
「今度もこの方が無地勝らしいぞ」とさりげない容子で勝負を御続けになりましたが、御親子でございますからこの御問答は、それぎり立ち消えになってしまいました。

の御仲には、この時から或面白くない心もちが、挾まるようになったかと存ぜられます。

四

それから大殿様の御隠れになる時まで、御親子の間には、まるで二羽の蒼鷹が、互に相手を窺いながら、空を飛びめぐっているような、ちっとの隙もない睨み合いがずっと続いておりました。が、前にも申し上げました通り若殿様は、すべて喧嘩口論の類が、大御嫌いでございましたから、大殿様の御所業に向っても、楯を御つきになどなった事は、殆ど一度もございません。唯、その度に皮肉な御微笑を、あの癖のある御口元にちらりと御浮べになりながら、一言二言鋭い御批判を御漏らしになるばかりでございます。

何時ぞや大殿様が、二条大宮の百鬼夜行に御遇いになっても、格別御障りのなかったことが、洛中洛外の大評判になりますと、若殿様は私に御向いになりまして、
「鬼神が鬼神に遇うたのじゃ。父上の御身に害がなかったのは、不思議もない」と、さも可笑しそうに仰有いましたが、その後又、東三条の河原院で、夜な夜な現れる融の左大臣の亡霊を、大殿様が一喝して御却けになった時も、若殿様は例の通り、唇を

歪めて御笑いになりながら、
「融の左大臣は、風月の才に富んでおられたと申すではないか。されば父上づれは、話のあとを打たせるにも足らぬと思われて、消え失せられたに相違ない」と、仰有ったのを覚えております。

それが又大殿様には、何よりも御耳に痛かったと見えまして、ふとした拍子に、こう云う若殿様の御言葉が、御聞きに達する事でもございますと、上べは苦笑いに御紛わしなすっても、御心中の御怒りはありありと御顔に読まれました。現に内裏の梅見の宴からの御帰りに、大殿様の御車の牛がそれて、往来の老人に怪我させた時、その老人が反って手を合せて、権者のような大殿様の御牛にかけられた冥加の程を、難有がった事がございましたが、その時も若殿様は、大殿様のいらっしゃる前で、牛飼の童子に御向いなさりながら、
「その方はうつけものじゃな。所詮牛をそらす位ならば、何故車の輪にかけて、あの下司を轢き殺さぬ。怪我をしてさえ、手を合せて、随喜する程の老爺じゃ。轍の下に往生を遂げたら、聖衆の来迎を受けたにも増して難有く心得たに相違ない。されば父上の御名誉も、一段と挙がろうものを。さりとは心がけの悪い奴じゃ」と、仰有ったものでございます。その時の大殿様の御機嫌の悪さと申しましたら、今にも御手の扇

が上って、御折檻位は御加えになろうかと、私ども一同が胆を冷す程でございましたが、それでも若殿様は晴々と、美しい歯を見せて御笑いになりながら、
「父上、父上、そう御腹立ち遊ばすな。牛飼めもあの通り、恐れ入っておるようでございます。この後とも精々心にかけましたら、今度こそは立派に人一人轢き殺して、父上の御名誉を震旦までも伝える事でございましょう」と、素知らぬ顔で仰有ったものでございますから、大殿様もとうとう我を御折りになったと見えて、苦い顔をなすったまま、何事もなく御立ちになってしまいました。
　こう云う御間がらでございましたから、大殿様の御臨終を、じっと御目守りになっていらっしゃる若殿様の御姿程、私どもの心の上に不思議な影を宿したものはございません。今でもその時の事を考えますと、まるで磨ぎすましました焼刃の匂いを嗅ぐような、身にしみてひやりとする、と同時に又何となく頼もしい、妙な心もちが致した事は、先刻もう御耳に入れて置きました。誠にその時の私どもには、心から御代替りがしたと云う気が、——それも御屋形の中ばかりでなく、一天下にさす日影が、急に南から北へふり変ったような、慌しい気が致したのでございます。

　　　　五

でございますから若殿様が、御家督を御取りになったその日の内から御屋形の中へはどこからともなく、今までにない長閑な景色が、春風のように吹きこんで参りました。歌合せ、花合せ、或は艶書合せなどが、以前にも増して度々御催しになられたのは、申すまでもございますまい。それから又、女房たちを始め、侍どもの風俗が、まるで昔の絵巻から抜け出して来たように、みやびやかになったのも、元よりの事でございます。が、殊に以前と変ったのは御屋形へ御客に御出でになる上つ方の御顔ぶれで、今は如何に時めいている大臣大将でも、一芸一能にすぐれていらっしゃらない方は、滅多に若殿様の御眼にはかかれません。いや、たとい御眼にかかられたのにしても、御出でになる方々が、皆風流の才子ばかりでいらっしゃいますから、さすがに御身を御愧じになって、自然御み足が遠くなってしまうのでございます。
　その代り又、詩歌管絃の道に長じてさえおりますれば、無位無官の侍でも、身に余るような御褒美を受けた事がございます。たとえば、或秋の夜に、月の光が格子にさして、機織りの声が致しておりました時、ふと人を御召しになると、新参の侍が参りましたが、どう思召したのか、急にその侍に御問いなすって、

「機織りの声が致すのは、その方にも聞えような。これを題に一首仕まつれ」と、御声がかりがございました。するとその侍は下にいて、暫く頭を傾けておりましたが、やがて、「青柳の」と、初の句を申しました。女房たちの間には、忍び笑いの声が起りましたが、可笑かったのでございましょう。

侍が続いて、

「みどりの糸をくりおきて夏へて秋は機織りぞ啼く」と、さわやかに詠じますと、忽ちそれは静まり返って、萩模様のある直垂を一領、格子の間から月の光の中へ、押し出して下さいました。実はその侍と申しますのが、私の姉の一人息子で、若殿様とは、略御年輩も同じ位な若者でございましたが、これを御奉公の初めにして、その後も度々難有い御懇意を受けたのでございます。

先、若殿様の御平生は、あらあらかようなものでございましょうか。その間に北の方も御迎えになりましたし、年々の除目には御官位も御進みになりましたが、そう云う事は世上の人も、よく存じている事でございますから、ここにはとり立てて申し上げません。それよりも先を急ぎますから、最初に御約束致しました通り、若殿様の御一生に、たった一度しかなかったと云う、不思議な出来事の御話へはいる事に致しましょう。と申しますのは、大殿様とは御違いになって、天が下の色ごのみなどと云う

御緯名こそ、御受けになりましたが、誠に御無事な御生涯で、その外には何一つ、人口に膾炙するような御逸事と申すものも、なかったからでございます。

その御話の抑は、確か大殿様が御隠れになってから、五六年たった頃でございますが、丁度その時分若殿様は、前に申し上げました中御門の少納言様の御一人娘で、評判の美しい御姫様へ、茂々御文を書いていらっしゃいました。唯今でもあの頃の御熱心だった御噂が、私どもの口から洩れますと、若殿様は何時も晴々と御笑いになって、
「爺よ。天が下は広しと云え、あの頃の予が夢中になって、拙い歌や詩を作ったのは皆恋がさせた業じゃ。思えば狐の塚を踏んで、物に狂うたのも同然じゃな」と、まるで御自分を嘲るように、洒落としてこう仰有います。が、全く当時の若殿様は、それ程御平生に似もやらず、恋慕三昧に耽って御出でになりました。

しかし、これは、あながち、若殿様御一人に限った事ではございません。あの頃の年若な殿上人で、中御門の御姫様に想いを懸けないものと云ったら、恐らく御一方もございますまい。あの方が阿父様の代から、ずっと御住みになっていらっしゃる、二条西洞院の御屋形のまわりには、そう云う色好みの方々が、或は車を御寄せになった

六

り、或は御自身御拾いで御出でになったり、絶えず御通い遊ばしたものでございます。中には一夜の中に二人まで、あの御屋形の梨の花の下で、月に笛を吹いている立烏帽子があったと云う噂も、聞き及んだ事がございました。

いや、現に一時は秀才の名が高かった菅原雅平とか仰有る方も、この御姫様に恋をなすってしかもその恋がかなわなかった御恨みから、俄に世を御捨てになって、唯今では筑紫の果に流浪して御出でになるとやら、或は又東海の波を踏んで唐土に御渡りになったとやら、皆目行方が知れないと申すことでございます。この方などは若殿様とも、詩文の御交りの深かった御一人で、御消息などをなさる時は、若殿様を楽天に、御自分を東坡に比していらしったそうでございますが、そう云う風流第一の才子が、如何に中御門の御姫様は御美しいのに致しましても一旦の御歎きから御生涯を辺土に御送りなさいますのは、御不覚と申し上げるより外はございますまい。

が、又飜って考えますのは、これも御無理がないと思われる位、中御門の御姫様と仰有る方は御美しかったのでございます。私が一両度御見かけ申しました限りでも、柳桜をまぜて召して、錦に玉を貫いた燦びやかな裳の腰を、大殿油の明い光に、御輝かせになりながら、御眸も重そうにうち傾いていらしった、あのあでやかな御姿は一生忘れようもございますまい。しかもこの御姫様は御気象も並々ならず御潤達でいらっ

しゃいましたから、なまじいな殿上人などは、思召しにかなうどころか、すぐに本性を御見透しになって、とんと御寵愛の猫も同様、さんざん御弄りになった上、二度と再び御膝元へもよせつけないようになすってしまいました。

七

でございますからこの御姫様に、想を懸けていらっしゃった方々の間には、まるで竹取物語の中にでもありそうな可笑しいことが沢山ございましたが、中でも一番御気の毒だったのは京極の左大弁様で、この方は京童が鴉の左大弁などと申し上げた程、御色が黒うございましたが、それでもやはり人情には変りもなく、中御門の御姫様を恋い慕っていらっしゃいました。ところがこの方は御利巧だと同時に、気の小さい御性質だったと見えまして、如何に御姫様を懐しく思召しても、御自分の方からそれとは御打ち明けなすった事もございませんし、元より又御同輩の方々にも、ついぞそれらしい事を口に出して、仰有った例はございません。しかし忍び忍びに御姫様の御顔を拝みに参ります事は、隠れない事でございますから、或時、それを柵にして、御同輩の誰彼が、手を換え品を換え、いろいろと問い落そうと御かかりになりました。すると鴉の左大弁様は苦しまぎれの御一策に、

「いや、あれは何も私が想を懸けているばかりではない。実は姫の方からも、心ありげな風情を見せられるので、ついつい足が茂くなるのだ」と、こう御逃げになりました。しかもそれを誠らしく見せかけようと云う出来心から、御姫様から頂いた御文の文句や、御歌などを、ある事もない事も皆一しょに取つくろって、さも御姫様の方が心を焦していらっしゃるように、御話しになったからたまりません。元より悪戯好きな御同輩たちは、半信半疑でいらっしゃりながら、早速御姫様の偽手紙を拵えて、折からの藤の枝か何かにつけたまま、それを左大弁様の許へ御とどけになりました。

こちらは京極の左大弁様で、何事かと胸を轟かせながら、慌てて御文を開けて見ますと、思いもよらず御姫様は、如何に左大弁様を思いわびてもとんとつれなく御もてなしになるから、所詮かなわぬ恋とあきらめて、尼法師の境涯にはいると云う事が、何にももの哀れに書いてあるではございませんか。まさかそうまで御姫様が、思いつめていらっしゃろうとは、夢にも思召さなかったのでございますから、鴉の左大弁様は悲しいとも、嬉しいともつかない御心もちで、暫くは唯、茫然と御文を前にひろげたまま、溜息をついていらっしゃいました。が、何はともあれ、御眼にかかって、今まで胸にひそめていた想の程も申し上げようと、こう思召したのでございましょう。童子を一人御伴に御つれになって、傘をかざし丁度五月雨の暮方でございましたが、

ながら、ひそかに二条西洞院の御屋形まで参りますと、御門は堅く鎖してあって、いくら音なっても叩いても、開ける気色はございません。そうこうする内に夜になって、人の往来も稀な築土路には、唯蛙の声が聞えるばかり、雨は益降りしきって、御召物も濡れれば、御眼も眩むと云う情ない次第でございます。
　それが程経てから、御門の扉がやっと開いたと思いますと、平太夫と申します私位の老侍が、これも同じような藤の枝に御文を結んだのを渡したなり、無言で又、その扉をぴたりと閉めてしまいました。
　そこで泣く泣く御立ち帰りになって、その御文を開けて御覧になると、一首の古歌がちらし書きにしてあるだけで、一言も外には御便りがございません。
　思へども思はずとのみ云ふなればいなや思はじ思ふかひなし
　これは云うまでもなく御姫様が、悪戯好きな若殿原から、細々と御消息で、鴉の左大弁様の心なしを御承知になっていたのでございます。

八

　こう御話し致しますと、中には世の常の姫君たちに引き比べて、この御姫様の御行状を、嘘のように思召す方もいらっしゃいましょうが、現在私が御奉公致している若

殿様の事を申し上げながら、何もそのような空事をさし加えよう道理はございません。その頃洛中で評判だったのは、何もそのような空事をさし加えよう道理はございません。その頃洛中で評判だったのは、この御姫様ともう御一方、これは虫が大御好きで、長虫までも御飼いになったと云う、不思議な御姫様が御ございました。この後の御姫様の事は、全くの余談でございますから、ここには何も申し上げますまい。が、中御門の御姫様は、何しろ御両親とも御隠れになって、御屋形には唯、先刻御耳に入れました平太夫を頭にして、御召使の男女が居りますばかり、それに御先代から御有福で、何御不自由もございませんでしたから、自然御美しいのと、御潤達なのとに御任せなすって、随分世を世とも思わない、御放胆な真似もなすったのでございます。

そこで噂を立て易い世間には、この御姫様御自身が、実は少納言様の北の方と大殿様との間に御生まれなすったので、父君の御隠れなすったのも、恋の遺恨で大殿様が毒害遊ばしたのだなどと申す輩も出て来るのでございましょう。しかし少納言様の急に御歿くなりになった御話は、前に一応申上げました通り、皆跡方のない嘘でございます。更にそのような次第ではございませんから、その噂は申すまでもなく、心を御寄せにはなりますまい。さもなければ若殿様も、決してあれ程までは御姫様へ、心を御寄せにはなりますまい。さもなければ若殿様も、決してあれ程までは御姫様へ、心を御寄せにはなりますまい。

何でも私が人伝に承わりました所では、初めはいくら若殿様の方で御熱心でも、御姫様は反って誰よりも、素気なく御もてなしになったとか申す事でございます。いや、

そればかりか、一度などは若殿様の御文を持って上った私の甥に、あの鴉の左大弁様同様、どうしても御門の扉を御開けにならなかったとかでございました。しかもあの平太夫が、何故か堀川の御屋形のものを仇のように憎みまして、その時も梨の花に、うらうらと春日が匂っている築土の上から白髪頭を露して檜皮の狩衣の袖をまくりながら、推しても御門を開こうとする私の甥に、
「やい、おのれは昼盗人か。盗人とあれば容赦はせぬ。一足でも門内にはいったが最期、平太夫が太刀にかけて、まっ二つに斬って捨てるぞ」と、嚙みつくように喚きました。もしこれが私でございましたら、刃傷沙汰にも及んだでございましょうが、甥は唯、道ばたの牛の糞を礫代りに投げつけただけで、帰って来たと申しておりました。かような次第でございますから、元より御文が無事に御手許にとどいても、とんと御返事と申すものは頂けません。が、若殿様は、一向にそれにも御頓着なく、三日にあげず、御文やら御歌やら、或は又結構な絵巻やらを、凡そものの三月あまりも、根気よく御遣しになりました。さればこそ、日頃も仰有る通り、「あの頃の予が夢中になって、拙い歌や詩を作ったのは、皆恋がさせた業じゃ」に、少しも違いはなかったのでございます。

丁度その頃の事でございます。洛中に一人の異形な沙門が現れまして、とんと今までに聞いた事のない、摩利の教と申すものを説き弘め始めました。これも一時随分評判でございましたから、中には御聞き及びの方もいらっしゃる事でございましょう。よくものの草紙などに、震旦から天狗が渡ったと書いてありますのは、丁度あの染殿の御后に鬼が憑いたなどと申します通り、この沙門の事を譬えて云ったのでございます。

九

　そう申せば私が初めてその沙門を見ましたのも、やはりその頃の事でございました。確か、或花曇りの日の昼中だったかと存じますが、何か用足しに出ました帰りに、神泉苑の外を通りかかりますと、あすこの築土を前にして、揉烏帽子やら、立烏帽子やら、或は又もの見高い市女笠やらが、数にして凡そ二三十人、中には竹馬に跨った童部も交って、皆一塊になりながら、罵り騒いでいるのでございます。さては又、福徳の大神に祟られた物狂いでも踊っているか、さもなければ迂濶な近江商人が、魚盗人に荷でも攫われたのだろうと、こう私は考えましたが、あまりその騒ぎが仰々しいので、何気なく後からそっと覗きこんで見ますと、思いもよらずその真中には、乞食のよう

な姿をした沙門が、何か頻りにしゃべりながら、見慣れぬ女菩薩の画像を掲げた旗竿を片手につき立てて、佇んでいるのでございました。年の頃はかれこれ三十にも近うございましょうか。色の黒い、眼のつり上った、如何にも凄じい面がまえでいますもの、よれよれになった墨染の法衣でございますが、黄金の護符と申し、流れ風に散る神泉苑の桜った髪の毛と申し、頸にかけた十文字の怪しげな、元より世の常の法師ではございますまい。それが、私の覗きました時は、鳶の翼を法衣の葉を頭から浴びて、全く人間と云うよりも、あの智羅永寿の眷属が、素早く童部の手から竹馬をひの下に隠しているのではないかと思う程、怪しい姿に見うけられました。

するとその時、私の側にいた、逞しい鍛冶か何かが、

「おのれ、よくも地蔵菩薩を天狗だなどと吐したな」と、嚙みつくように喚きながら、斜に相手の面を打ち据えました。が、打たれながらも、その沙門は、にやりと気味の悪い微笑を洩らしたまま、愈 高く女菩薩の画像を落花の風に飜して、

「たとい今生では、如何なる栄華を極めようとも、天上皇帝の御教に悖るものは、一旦命終の時に及んで、忽ち阿鼻叫喚の地獄に墜ち、不断の業火に皮肉を焼かれて、尽未来まで吠えおろうぞ。ましてその天上皇帝の遺された、摩利信乃法師に答を当つ

るものは、命終の時とも申さず、明日が日にも諸天童子の現罰を蒙って、白癩の身となり果てるぞよ」と、叱りつけたではございませんか。この勢いに気を呑まれて、私は元より当の鍛冶まで、暫くは唯、竹馬を戟にしたまま、狂おしい沙門の振舞を呆れてじっと見守っておりました。

　　　十

が、それはほんの僅の間で、鍛冶は又竹馬をとり直しますと、「まだ雑言をやめおらぬか」と、恐ろしい権幕で罵りながら、矢庭に沙門へとびかかりました。

　元よりその時は私はじめ、誰でも鍛冶の竹馬が、したたか相手の面を打ち据えたと、思わなかったものはございません。いや、実際又竹馬は、あの日の焦けた頰に、もう一すじ蚯蚓腫の跡を加えたようでございます。が、横なぐりに打ち下した竹馬が、まだ青い笹の葉に落花を掃ったと思うが早いか、いきなり大地にどうと倒れたのは、沙門ではなくて、肝腎の鍛冶の方でございました。

　これに辟易した一同は、思わず逃腰になったのでございましょう。揉烏帽子と立烏帽子も意気地なく後を見せて、どっと沙門のまわりを離れましたが、見ると鍛冶は、

竹馬を持ったまま、相手の足もとにのけぞり返って、口からはまるで癲癇病みのように白い泡さえも噴いております。沙門は暫くその呼吸を窺っているようでございましたが、やがてその瞳を私どもの方へ返しますと、

「見られい。わしの云うた事は、偽りはなかったろうな。諸天童子は即座にこの横道者を、目に見えぬ剣で打たせ給うた。まだしも頭が微塵に砕けて、都大路に血をあやさなんだのが、時にとっての仕合せと云わずばなるまい」と、さも横柄に申しました。ひっそり静まり返った人々の中から、急にけたたましい泣き声をあげて、さっき竹馬を持っていた童部が一人、切禿の髪を躍らせながら、倒れている鍛冶の傍へ、転がるように走り寄ったのは。

「阿父さん。阿父さんてば。よう、阿父さん」

童部はこう何度も喚きましたが、鍛冶は更に正気に還る気色もございません。あの唇にたまった泡さえ、相不変花曇りの風に吹かれて、白く水干の胸へ垂れております。

「阿父さん。よう」

童部は又こう繰返しましたが、鍛冶が返事をしないのを見ると、忽ち血相を変えて、父の手に残っている竹馬を両手でつかむが早いか、沙門を目がけて飛び立ちながら、

健気にも、まっしぐらに打ってかかりました。が、沙門はその竹馬を、持っていた画像の旗竿で事もなげに払いながら、又あの気味の悪い笑を洩らしますと、わざと柔しい声を出して、
「これは滅相な。御主の父親が気を失ったのは、この摩利信乃法師がなせる業ではないぞ。さればわしを窘めたとて、父親が生きて返ろう次第はない」と、たしなめるように申しました。
その道理が童部に通じたと云うよりは、所詮この沙門と打ち合っても、勝てそうもないと思ったからでございましょう。鍛冶の小倅は五六度竹馬を振りまわした後で、べそを掻いたまま、往来のまん中へ立ちすくんでしまいました。

十一

摩利信乃法師はこれを見ると、又にやにや微笑みながら、童部の傍へ歩みよって、
「さても、御主は、聞分けのよい、年には増した利発な子じゃ。そう温和しくしておれば、諸天童子も御主にめでて、程なくそこな父親も正気に還して下されよう。わしもこれから祈禱しょう程に、御主もわしを見慣うて、天上皇帝の御慈悲に御すがり申したがよかろうぞ」

こう云うと沙門は旗竿を大きく両腕に抱きながら、大路のただ中に跪いて、恭しげに額を垂れました。そうして眼をつぶったまま、何やら怪しげな陀羅尼のようなものを、声高に誦し始めました。それがどの位つづいた事でございましょう。沙門のまわりに輪を作って、この不思議な加持のし方を眺めている私どもには、かれこれもの半時もたったかと思われる程でございましたが、やがて沙門が眼を開いて、跪いたなり伸ばした手を、鍛冶の顔の上へさしかざしますと、見る見るその顔が、暖かく血の色を盛返して、やがて苦しそうな呻り声さえ、例の泡だらけな口の中から、一しきり長く溢れて参りました。

「やあ、阿父さんが、生き返った」

童部は竹馬を抛り出すと、嬉しそうに小躍りして、又父親の傍へ走りよりました。が、その手で抱き起されるまでもなく、呻り声を洩らすと殆ど同時に、鍛冶はまるで酒にでも酔ったかと思うような、覚束ない身のこなしで、徐に体を起しました。すると沙門はさも満足そうに、自分も悠然と立ち上って、あの女菩薩の画像を親子のものの頭の上に、日を蔽う如くさしかざすと、厳かにこう申しました。

「天上皇帝の御威徳は、この大空のように広大無辺じゃ。何と信を起されたか」と、

鍛冶の親子は互にしっかり抱き合いながら、まだ土の上に蹲っておりましたが、沙門の法力の恐ろしさには、魂も空にけし飛んだのでございましょう。女菩薩の瞳を仰ぎますと、二人とも殊勝げな両手を合せて、わなわな震えながら、礼拝いたしました。と思うとつづいて二三人、まわりに立っている私どもの中にも、笠を脱いだり、烏帽子を直したりして、画像を拝んだものが居ったようでございます。唯私は何となく、忌わしい気が致しましたから、鍛冶が正気に還ったのを潮に、匇々その場を立ち去ってしまいました。

その沙門や女菩薩の画像が、まるで魔界の風に染んでいるような、後で人の話を承わりますと、この沙門の説教致しますのが、震旦から渡って参りました、あの摩利の教と申すものだそうで、摩利信乃法師と申します男も、この国の生れやら、乃至は唐土に人となったものやら、確なことはわからないと云う事でございました。中には又、震旦でも本朝でもない、天竺の涯から来た法師で、昼こそあのように町を歩いているが夜は墨染の法衣が翼になって、八阪寺の塔の空へ舞上るなどと云う噂もございましたが、元よりそれはとりとめもない、嘘だったのでございましょう。が、さような噂が伝わりましたのも、一応は尤もと存じられます位、この摩利信乃法師の仕業には、いろいろ幻妙な事が多かったのでございます。

十二

と申しますのは、先ず第一に摩利信乃法師が、あの怪しげな陀羅尼の力で、瞬く暇に多くの病者を癒した事でございます。盲目が見えましたり、跛が立ちましたり、唖が口をききましたり——一々数え立てますのも、煩わしい位でございますが、中でも一番名高かったのは、前の摂津守の悩んでいた人面瘡でもございましょうか。これは甥を遠矢にかけて、その女房を奪ったとやら申す報から、左膝頭にその甥の顔をした、不思議な瘡が現われて、昼も夜も骨を刻むような業苦に悩んでおりましたが、あの沙門の加持を受けますと、見る間にその顔が気色を和げて、やがて口とも覚しい所から「南無」と云う声が洩れるや否や、忽ち跡方もなく消え失せたと申すのでございます。元よりその位でございますから狐の憑きましたのも、天狗の憑きましたのも、或は又、何とも名の知れない、妖魅鬼神の憑きましたのも、あの十文字の護符を頂きますと、まるで木の葉を食う虫が、大風にでも振われて落ちるように、すぐさま落ちてしまいました。
が、摩利信乃法師の法力が評判になったのは、それだからばかりではございません。前にも私が往来で見かけましたように、摩利の教を誹謗したり、その信者を呵責した

り致しますと、あの沙門は即座にその相手へ、恐ろしい神罰を祈り下しました。おかげで井戸の水が腥い血潮に変ったものもございますし、持ち田の稲を一夜に蝗が食ってしまったものもございますが、あの白朱社の巫女などは、摩利信乃法師を祈り殺そうとした応報で、一目見るのさえ気味の悪い白癩になってしまったのでございます。そこであの沙門は天狗の化身だなどと申す噂が、一層高くなってしまったのでございましょう。が、天狗ならば一矢に射てとって見せると申して、わざわざ鞍馬の奥から参りました猟師も、例の諸天童子の剣にでも打たれたのか、急に目がつぶれた揚句、しまいには摩利の教の信者になってしまったとか申す事でございました。

そう云う勢いでございますから、日を経るに従って、信者になる老若男女も、追々数を増して参りましたが、その又信者になりますには、何でも水で頭を濡すと云う、灌頂めいた式があって、それを一度すまさない中は、例の天上皇帝に帰依した明りが立ち兼ねるのだそうでございます。これは私の甥が見かけたことでございますが、或日四条の大橋*を通りますと、橋の下の河原に夥しい人だかりが致しておりましたから、何かと存じて覗きましたところ、これもやはり摩利信乃法師が東国者らしい侍に、その怪しげな灌頂の式を授けておるのでございました。何しろ折からの水が温んで、桜の花も流れようと云う加茂川へ、大太刀を佩いて畏った侍と、あの十文字の護符を捧さ

げている異形な沙門とが影を落して、見慣れない儀式を致していたと申すのでございますから、余程面白い見物でございましたろう。——そう云えば、前に申し上げる事を忘れましたが、摩利信乃法師は始めから、四条河原の非人小屋*の間へ、小さな席張りの庵を造りまして、そこに始終たった一人、侘しく住んでいたのでございます。

十三

そこでお話は元へ戻りますが、その間に若殿様は、思いもよらない出来事から、予て御心を寄せていらっしった中御門の御姫様と、親しい御語らいをなさる事が御出来なさるように相成りました。その思いもよらない事と申しますのは、もう花橘の匂と時鳥の声とが雨もよいの空を想わせる、或夜の事でございましたが、その夜は珍しく月が出て、朧げには人の顔が見分けられる程だったと申します。若殿様は或女房の所へ御忍びになった御帰り途で、御供の人数も目立たないように、僅に一人か二人御召連れになったまま、その明るい月の中を車でゆっくりと御出でになりました。が、何しろ時刻が遅いので、人っ子一人通らない往来には、遠田の蛙の声と、車の輪の音とが聞えるばかり、殊にあの寂しい美福門の外は、よく狐火の燃える所だけに、何となく鬼気が身に迫って、心無い牛の歩みさえ早くなるような気が致されます。

そう思うと、急に向うの築土の陰で、怪しい咳の声がするや否や、きらきらと白刃を月に輝かせて、盗人と覚しい覆面の男が、左右から凡そ六七人、若殿様の車を目がけて、猛々しく襲いかかりました。
　と同時に牛飼の童部を始め、御供の雑色たちは余りの事に、魂も消えるかと思ったのでございましょう。驚破と云う間もなく、算を乱して、元来た方へ一散に逃げ出してしまいました。が、盗人たちはそれには目もくれる気色もなく、矢庭に一人が牛の轡を取って、往来のまん中へぴたりと車を止めるが早いか、四方から白刃の垣を造って、犇々とそのまわりを取り囲みますと、先ず頭立ったのが横柄に簾を払って、
「どうじゃ。この殿に違いはあるまいな」と、仲間の方を振り向きながら、念を押したそうでございます。その容子がどうも物盗りとも存ぜられませんので、御驚きの中にも若殿様は不審に思召されたのでございましょう。それまでじっとしていらしったのが、扇を斜に相手の方を、透かすようにして御窺いなさいますと、その時その盗人の中に嗄れた声がして、
「おう。しかとこの殿じゃ」と、憎々しげに答えました。するとその声が、又何となく何処かで一度御耳になさったようでございましたから、愈怪しく思召して、明るい月の光に、その声の主を、きっと御覧になりますと、面こそ包んでおりますが、あ

の中御門の御姫様に年久しく御仕え申している、平太夫に相違はございません。この一刹那はさすがの若殿様も、思わず総身の毛がよだつような、恐ろしい思いをなすったと申す事でございました。何故と申しますと、あの平太夫が堀川の御一家を仇のように憎んでいる事は、若殿様の御耳にも、とうからはいっていたからでございます。
いや、現にその時も、平太夫がそう答えますと、さっきの盗人は一層声を荒げて、
「さらば御命を申受けようず」と罵ったと申すではございませんか。
太刀の切先を若殿様の御胸に向けながら、

　　　　十四

　しかしあの飽くまでも、物に御騒ぎにならない若殿様は、すぐに勇気を御取り直しになって、悠々と扇を御弄びなさりながら、
「待て。待て。予の命が欲しくば、次第によってくれてやらぬものでもない。が、そのようなものを欲しがるのじゃ」と、まるで人事のように御尋ねになりました。すると頭立った盗人は、白刃を益御胸へ近づけて、
「中御門の少納言殿は、誰故の御最期じゃ」
「予は誰やら知らぬ。が、予でない事だけは、しかとした証もある」

「殿か、殿の父君か。いずれにしても、殿は仇の一味じゃ」
頭立った一人がこう申しますと、残りの盗人どもも覆面の下で、
「そうじゃ。仇の一味じゃ」と、声々に罵り交しました。中にもあの平太夫は歯嚙みをして、車の中を獣のように覗きこみながら、太刀で若殿様の御顔を指さしますと、
「さかしらは御無用じゃわ。それよりは十念なと御称え申されい」と、嘲笑うような声で申したそうでございます。
 が、若殿様は相不変落ち着き払って、御胸の先の白刃も見えないように、
「してその方たちは、皆少納言殿の御内のものか」と、抛り出すように御尋ねなさいました。すると盗人たちは皆どうしたのか、一しきり答にためらったようでございましたが、その気色を見てとった平太夫は、透かさず声を励まして、
「そうじゃ。それが又何と致した」
「いや、何とも致さぬが、もしこの中に少納言殿の御内でないものがいたと思え。そのものこそは天が下の阿呆ものじゃ」
 若殿様はこう仰有って、美しい歯を御見せになりながら、肩を揺って御笑いになりました。これには命知らずの盗人たちも、暫くは胆を奪われたのでございましょう。御胸に迫っていた太刀先さえ、この時はもう自然と、車の外の月明りへ引かれていた

と申しますから。」

「何故と申せ」と、若殿様は言葉を御継ぎになって、「予を殺害した暁には、その方どもは悉く検非違使の目にかかり次第、極刑に行わるべき奴ばらじゃ。元よりそれも少納言殿の御内のものなら、己が忠義に捨つる命じゃによって、定めて本望に相違はあるまい。が、さもないものがこの中にあって、僅かばかりの金銀が欲しさに、予が身に白刃を向けるとすれば、そやつは二つとない大事な命を、その褒美と換えようず阿呆ものじゃ。何とそう云う道理ではあるまいか」

これを聞いた盗人たちは、今更のように顔を見合せたけはいでございましたが、平太夫だけは独り、気違いのように叱り立って、

「ええ、何が阿呆ものじゃ。その阿呆ものの太刀にかかって、最期を遂げる殿の方が、百層倍も阿呆ものじゃとは覚されぬか」

「何、その方が阿呆ものだとな。ではこの中に少納言殿の御内でないものどもいるのであろう。これは一段と面白くなって参った。さらばその御内でないものどもに、ちと申し聞かす事がある。その方どもが予を殺害しようとするのは、全く金銀が欲しさにする仕事であろうな。さて金銀が欲しいとあれば、予はその方どもに何なりと望み次第の褒美を取らすであろう。が、その代り予の方にもまた頼みがある。何と、同

じ金銀の為にする事なら、褒美の多い予の方に味方して、利得を計ったがよいではないか」
若殿様は鷹揚に御微笑なさりながら、指貫の膝を扇で御叩きになって、こう車の外の盗人どもを御談じになりました。

　　　　十五

「次第によっては、御意通り仕らぬものでもございませぬ」
恐ろしい位ひっそりと静まり返っていた盗人たちの中から、頭だったのが半恐る恐るこう御答え申し上げますと、若殿様は御満足そうに、はたはたと扇を御鳴らしになりながら、例の気軽な御調子で、
「それは重畳じゃ。何、予が頼みと申しても、格別むずかしい儀ではない。それ、そこに居るその老爺は、少納言殿の御内人で、平太夫と申すものであろう。巷の風聞にも聞き及んだが、そやつは日頃予に恨みを含んで、あわよくば予が命を奪おうなどと、大それた企てさえ致しておると申す事じゃ。さればその方どもがこの度の結構も、平太夫めに唆されて、事を挙げたのに相違あるまい。——」
「さようでございます」

これは盗人たちが三四人、一度に覆面の下から申し上げました。
「そこで予が頼みと申すのは、その張本の老爺に縄を搦めとって、長く禍の根を断ちたいのじゃが、何とその方どもの力で、平太夫めに縄をかけてはくれまいか」
この御仰せには、盗人たちも、余りの事に暫らくの間は、呆れ果てたのでございましょう。車をめぐっていた覆面の頭が、互に眼と眼を見合わしながらに、一しきりざわざわと動くようなけはいがございましたが、やがてそれが又静かになりますと、突然盗人たちの唯中から、嗄れた声が起りました。
「やい、ここなうつそりどもめ。まだ乳臭いこの殿の口車に乗せられおって、抜いた白刃を持て扱うばかりか、おめおめ御意に従いましょうなどとは、どの面下げて申す義理じゃ。よしよし、ならば己らが手は借りぬわ。高がこの殿の命一つ、平太夫が太刀ばかりで、見事申し受けようも、瞬く暇じゃ」
こう申すや否や平太夫は、太刀をまっこうにふりかざしながら、やにわに若殿様へ飛びかかろうと致しました。が、その飛びかかろうと致したのと、頭だった盗人が、素早く白刃を投げ出して、横あいからむずと組みついたのとが、殆んど同時でございます。すると外の盗人たちも、てんでに太刀を鞘におさめて、まるで蝗か何かのように四方から平太夫へ躍りかかりました。何しろ多勢に無勢と云い、こちらは年よりの

事でございますから、こうなってはもう勝負を争うまでもございません。忽ちのうちにあの老爺は牛の轅でございましょう、有り合せた縄にかけられてしまいました。その時の平太夫の姿と申しましたら、月明りの往来へ引き据えられた狐のように、牙ばかりむき出して、まだ未練らしく喘ぎながら、身悶えしていたそうでございます。

するとこれを御覧になった若殿様は、欠伸まじりに御笑いになって、
「おお、大儀。大儀。それで予の腹も一先癒えたと申すものじゃ。が、とてもの事に、その方どもは、予が車を警護旁、そこな老耄を引き立て、堀川の屋形まで参ってくれい」

こう仰有られて見ますと盗人たちも、今更いやとは申されません。そこで一同うち揃って、雑色がわりに牛を追いながら、縄つきを中にとりまいて、歩きはじめました。天が下は広うございますが、かように盗人どもを御供につれて遊ばしたのは、先若殿様の外にはございますまい。尤もこの異様な行列も、参りつかない内に、急を聞いて駆けつけた私どもと出会いましたから、その場で面々御褒美を頂いた上、こそこそ退散致してしまいました。

十六

さて若殿様は平太夫を御屋形へつれて御帰りになりくくりつけて、雑色たちに見張りを御云いつけなさいましたが、そのまま、御厩の柱にを朝曇りの御庭先へ御召しになって、翌朝は匆々あの老爺

「こりゃ平太夫、その方が少納言殿の御恨を晴そうと致す心がけは、成程愚かには相違ないが、さればとて又神妙とも申して申されぬ事はない。殊にあの月夜に、覆面の者どもを駆り催して、予を殺害致そうと云う趣向の程は、中々その方づれとも思われぬ風流さじゃ。が、美福門のほとりは、ちと場所がようなかったぞ。ならば紀の森あたりの、老木の下闇に致したかった。あすこは夏の月夜には、せせらぎの音が間近く聞えて、卯の花の白く仄くのも一段と風情を添える所じゃ。尤もこれはその方づれに、望む予の方が、無理かも知れぬ。就いてはその殊勝なり、風流なのが目出たいによって、今度ばかりはその方の罪も赦してつかわす事にしよう」

こう仰有って若殿様は、何時ものように晴々と御笑いになりながら、序ながら予の文を、姫君のもと

「その代りその方も、折角これまで参ったものじゃ。しかと申しつけたぞ」まで差上げてくれい。よいか。

私はそのときの平太夫の顔位、世にも不思議なものを見た事はございません。あの意地の悪そうな、苦りきった面色が、泣くとも笑うともつかない気色を浮かべて、眼ばかりぎょろぎょろ忙しそうに、働かせているのでございます。するとその容子が、笑止ながら気の毒に思召されたのでございましょう。若殿様は御笑顔を御やめになると、縄尻を控えていた雑色に、

「これ、これ、永居は平太夫の迷惑じゃ。すぐさま縄目を許してつかわすがよい」と、難有い御諚*がございました。

それから間もなくの事でございます。一夜の内に腰さえ弓のように曲った平太夫は、若殿様の御文をつけた花橘の枝を肩にして、這々の裡の御門から逃げ出して参りました。ところがその後から又一人、そっと御門を出ましたのは、私の甥の侍で、これは万一平太夫が御文に無礼でも働いてはならないと、若殿様にも申し上げず、見え隠れにあの老爺の跡をつけたのでございます。

二人の間は凡その所、半町ばかりもございましたろうか。平太夫は気も心も緩みはてたかと思うばかり、跣足を力なくひきずりながら、まだ雲切れのしない空に柿若葉の匂のする、築土つづきの都大路を、とぼとぼと歩いて参ります。途々通りちがう菜売りの女などが、稀有な文使いだとでも思いますのか、迂散らしくふり返って、見送

るものもございましたが、あの老爺はとんとそれにも目をくれる気色はございません。この調子なら先何事もなかろうと、一時は私の甥も途中から引き返そうと致しましたが、よもやに引かされて、暫くは猶も跡を慕って参りますと、丁度、油小路へ出ようと云う、道祖の神の祠の前で、折からあの辻をこちらへ曲って出た見慣れない一人の沙門が、出合いがしらに平太夫と危くつき当りました。女菩薩の幢、墨染の法衣、それから十文字の怪しい護符、一目見て私の甥は、それが例の摩利信乃法師だと申す事に、気がついたそうでございます。

十七

危くつき当りそうになった摩利信乃法師は、咄嗟に身を躱しましたが、あの老爺はとんとそれに頓着に足を止めて、じっと平太夫の姿を見守りました。が、あの老爺はとんとそれに頓着する容子もなく、唯、二三歩路を譲っただけで、相不変とぼとぼと寂しい歩みを運んで参ります。さてはさすがの摩利信乃法師も、平太夫の異様な風俗を、不審に思ったものと見えると、こう私の甥は考えましたが、やがてその側まで参りますと、まだ我をも忘れたように、道祖の神の祠を後にして、佇んでいる沙門の眼なざしが、如何に天狗の化身とは申しながら、どうも唯事とは思われません。いや、反ってその眼なざし

には何時もの気味の悪い光がなくて、まるで涙ぐんででもいるような、もの優しい潤いが、漂っているのでございます。それが祠の屋根へ枝をのばした、椎の青葉の影を浴びて、あの女菩薩の旗竿を斜に肩へあてながら、しげしげ向うを見送っていた立ち姿の寂しさは、一生の中にたった一度、私の甥にもあの沙門を懐しく思わせたとか申す事でございました。

が、その内に私の甥の足音に驚かされたのでございましょう。摩利信乃法師は夢のさめたように、慌しくこちらを振り向きますと、急に片手を高く挙げて、怪しい九字を切りながら、何か呪文のようなものを口の内に繰返して、匆々歩きはじめました。その時の呪文の中に、中御門と云うような語が聞えたと申しますが、それは事による と私の甥の耳のせいだったかもわかりません。元よりその間も平太夫の方は、やはり花橘の枝を肩にして側目もふらず悄々と歩いて参ったのでございます。そこで又私の甥も、見え隠れにその跡をつけて、とうとう西洞院の御屋形まで参ったそうでございますが、時にあの摩利信乃法師の不思議な振舞が気になって、若殿様の御文の事さえ、はては忘れそうになった位、落着かない心もちに苦しめられたとか申しております。

しかしその御文は恙なく、御姫様の御手もとまでとどいたものと見えまして、珍しくも今度に限って早速御返事がございました。これは私ども下々には、何とも確な事

は申し上げる訳に参りませんが、恐らくは御承知の通り御濶達な御姫様の事でございますから、平太夫からあの暗討ちの次第でも御聞きになって、若殿様の御気象の人に優れていらっしゃるのを、始めて御会得になったからでもございましょうか。それから二三度、御消息を御取り交せになった後、とうとう或小雨の降る夜、若殿様は私の甥を御供に召して、もう葉柳の陰に埋もれた、西洞院の御屋形へ忍んで御通いになる事になりました。こうまでなって見ますと、あの平太夫もさすがに我が折れたので、格別雑言などを申す勢いはなかったそうでございます。その夜も険しく眉をひそめてはおりましたが、私の甥に向いまして

十八

その後若殿様は殆ど夜毎に西洞院の御屋形へ御伝いになりましたが、時には私のような年よりも御供に御召しになった事がございました。私が始めてあの御姫様の眩しいような御美しさを拝する事が出来ましたのも、そう云う折ふしの事でございます。今昔の移り変りを話せと申す御意も御二人で、私を御側近く御呼びよせなさりながら、今昔の移り変りを話せと申す御意もございました。確かに、その時の事でございましょう。御簾のひまから見える御池の水に、さわやかな星の光が落ちて、まだ散り残った藤の匂いがかすかに漂って来

るような夜でございましたが、その涼しい夜気の中に、一人二人の女房を御侍らせになって、もの静に御酒盛をなすっていらっしゃる御二方の美しさは、まるで倭絵*の中からでも、抜け出していらっしったようでございました。殊に白い単衣襲に薄色の桂を召した御姫様の清らかさは、おさおさあの赫夜姫にも御劣りは致しますまい。

その内に御酒機嫌の若殿様が、ふと御姫様の方へ御向いなさりながら、

「今も爺の申した通り、この狭い洛中でさえ、桑海の変は度々あった。されば無常経*にも法はその通り絶えず生滅遷流して、刹那も住すと申す事はない。世間一切の『未曾有二事不被二無常呑』」と説かせられた。恐らくはわれらが恋も、この掟ばかりは逃れられまい。唯何時始まって何時終るか、予が気がかりなのはそれだけじゃ」

と、冗談のように仰有いますと、御姫様はとんと拗ねたように、大殿油の明るい光をわざと御避けになりながら、

「まあ、憎らしい事ばかり仰有います。ではもう始めから私を、御捨てになる御心算でございますか」と、優しく若殿様を御睨みなさいました。が、若殿様は益御機嫌よく、御盃を御干しになって、

「いや、それよりも始めから、捨てられる心算で居ると申した方が、一層予の心もちにはふさわしいように思われる」

「たんと御弄り遊ばしまし」

御姫様はこう仰有って、一度は愛くるしく御笑いになりましたが、急に又御簾の外の夜色へ、うっとりと眼を御やりになって、

「一体世の中の恋と申すものは、皆そのように果ないものでございましょうか」と、独り語のように仰有いました。すると若殿様は何時もの通り、美しい歯を見せて、御笑いになりながら、

「されば果なくないとも申されまいな。が、われら人間が万法の無常も忘れはててて、蓮華蔵世界の妙楽を暫したりとも味わうのは、唯、恋をしている間だけじゃ。いや、その間だけは恋の無常さえ忘れていると申してもよい。じゃによって予が眼からは、恋慕三昧に日を送った業平こそ、天晴知識じゃ。われらも穢土の衆苦を去って、常寂光の中に住そうには伊勢物語をそのままの恋をするより外はあるまい。何と御身もそうは思われぬか」と、横合いから御姫様の御顔を御覗きになりました。

十九

「されば恋の功徳こそ、千万無量とも申してよかろう」

やがて若殿様は、恥しそうに御眼を御伏せになった御姫様から、私の方へ、陶然と

なすった御顔を御向けになって、
「何と、爺もそう思うであろうな。尤もその方には恋とは申さぬ。が、好物の酒ではどうじゃ」
「いえ、却々持ちまして、手前は後生が恐ろしゅうございます」
私が白髪を掻きながら、慌ててこう御答え申しますと、若殿様は又晴々と御笑いになって、
「いや、その答えが何よりじゃ。爺は後生が恐ろしいと申すが、彼岸に往生しようと思う心は、それを闇夜の燈火とも頼んで、この世の無常を忘れようと思う心には変りはない。じゃによってその方も、釈教と恋との相違こそあれ、所詮は予と同心に極まったぞ」
「これは又滅相な。成程御姫様の御美しさは、伎芸天女も及ばぬ程ではございますが、恋は恋、釈教は釈教、まして好物の御酒などと、一つ際には申せませぬ」
「そう思うのはその方の心が狭いからの事じゃ。弥陀も女人も、予の前には、皆われらの悲しさを忘れさせる傀儡の類に外ならぬ。──」
こう若殿様が御云い張りになると、急に御姫様は偸むように、ちらりとその方を御覧になりながら、

「それでも女子が傀儡では、嫌じゃと申しは致しませぬか」と、小さな御声で仰有いました。
「傀儡で悪くば、仏菩薩とも申そうか」
若殿様は勢いよく、こう御返事をなさいましたが、ふと何か御思い出しなすったように、じっと大殿油の火影を御覧になると、
「昔、あの菅原雅平と親しく交っていた頃にも、度々このような議論を闘わせた。御身も知っておられようが、雅平は予と違って、一図に信を起し易い、云わば朴直な生れがらじゃ。されば予が世尊金口の御経も、実は恋歌と同様じゃと嘲笑う度に腹を立て、煩悩外道とは予が事じゃと、再々悪しざまに罵りおった。その声さえまだ耳にあるが、当の雅平は行方も知れぬ」と、何時になく沈んだ御声で、もの思わしげに御呟きなさいました。するとその御容子にひき入れられたのか、暫くの間は御姫様を始め、私までも口を噤んで、しんとした御部屋の中には藤の花の匂ばかりが、一段と高くなったように思われましたが、それを御座が白けたとでも、思ったのでございましょう。女房たちの一人が恐る恐る、
「では、この頃洛中に流行ります摩利の教とやら申すのも、やはり無常を忘れさせる新しい方便なのでございましょう」と、御話の楔を入れますと、もう一人の女房も、

「そう申せばあの教を説いて歩きます沙門には、いろいろ怪しい評判があるようでございませんか」と、さも気味悪そうに申しながら、大殿油の燈心をわざとらしく掻立てました。

二十

「何、摩利の教。それは又珍しい教があるものじゃ」
と、その女房の方を御覧になって、何か御考えに耽っていらっしった若殿様は、思い出したように、御盃を御挙げになる
「摩利と申すからは、摩利支天を祭る教のようじゃな」
「いえ、摩利支天ならよろしゅうございますが、その教の本尊は、見慣れぬ女菩薩の姿じゃと申す事でございます」
「では、波斯匿王*の妃の宮であった、茉利夫人*の事でも申すと見える」
そこで私は先日神泉苑の外で見かけました、摩利信乃法師の振舞を逐一御話し申し上げてから、
「その女菩薩の姿では、茉利夫人とやらのようでもございませぬ。いや、それよりはこれまでのどの仏菩薩の御像にも、似ていないのでございます。別してあの赤裸の幼

子を抱いておるけうとさは、とんと人間の肉を食う女夜叉のようだとも申しましょうか。とにかく本朝には類のない、邪宗の仏に相違ございますまい」と、私の量見を言上致しますと、御姫様は美しい御眉をそっと御ひそめになりながら、
「そうしてその摩利信乃法師とやら申す男は、真実天狗の化身のように見えたそうな」と、念を押すように御尋ねなさいました。
「さようでございます。風俗はとんと火の燃える山の中からでも、翼に羽搏って出て来たようでございますが、よもやこの洛中に、白昼さようなる変化の物が出没致す事はございますまい」

すると若殿様は又元のように、冴々した御笑声で、
「いや、何とも申されぬ。現に延喜の御門の御代には、五条あたりの柿の梢に、七日の間天狗が御仏の形となって、白毫光を放ったとある。又仏眼寺の仁照阿闍梨を日毎に凌じに参ったのも、姿は女と見えたが実は天狗じゃ*」
「まあ、気味の悪い事を仰有います」
御姫様は元より、二人の女房も、一度にこう云って、襲の袖を合せましたが、若殿様は愈御酒機嫌の御顔を御和げになって、
「三千世界は元より広大無辺じゃ。僅ばかりの人間の智慧で、ないと申される事は一

つもない。たとえばその沙門に化けた天狗が、この屋形の姫君に心を懸けて、或夜ひそかに破風の空から、爪だらけの手をさしのべようも、全くない事じゃとは誰も云えぬ。が、──」と仰有りながら、殆ど色も御変りにならないばかり、恐ろしげに御寄りそいになった御姫様の桂の背を、やさしく御さすりになりながら、
「が、まだその摩利信乃法師とやらは、幸、姫君の姿さえ垣間見た事もないから、それまでは魔道の恋が、成就する気づかいはよもあるまい。さればもうそのよう先、怖がられずとも大丈夫じゃ」と、まるで子供をあやすように、笑って御慰めなさいました。

二十一

　それから一月ばかりと申すものは、何事もなくすぎましたが、やがて夏も真盛りの或日の事、加茂川の水が一段と眩く日の光を照り返して、炎天の川筋には引き舟の往来さえとぎれる頃でございます。ふだんから釣の好きな私の甥は、五条の橋の下へ参りまして、河原蓬の中に腰を下しながら、ここばかりは涼風の通うのを幸と、水嵩の減った川に糸を下して、頻に鮠を釣っておりました。すると丁度頭の上の欄干で、どうも聞いた事のあるような話し声が致しますから、何気なく上を眺めますと、そこに

はあの平太夫が高扇を使いながら、欄干に身をよせかけて、例の摩利信乃法師と一しょに、余念なく何事か話しているではございませんか。

それを見ますと私の甥は以前油小路の辻で見かけた、摩利信乃法師の不思議な振舞がふと心に浮びました。そう云えばあの時も、どうやら二人の間には、曰くがあったようでもある。——こう私の甥は思いましたから、眼は糸の方へやっていても、耳は橋の上の二人の話を、じっと聞き澄ましておりますが、向うは人通りも殆ど途絶えた、日盛りの寂しさに心を許したのでございましょう。私の甥の居る事なぞには、更に気のつく容子もなく、思いもよらない、大それた事を話し合っているのでございます。

「あなた様がこの摩利の教を御拡めになっていらっしゃるものはございますまい。私でさえあなた様が御自分でそう仰有るまでは、どこかで御見かけ申したとは思いながら、とんと覚えがございませんでした。何時ぞやの春の月夜に裸で御歩きになった、あの御年若なあなた様と、唯今こうして炎天に桜人の曲を御謡いになった、慮外ながら天狗のような、見るのも凄じいあなた様と、同じ方でいらっしゃろうとは、あの打伏の巫子に聞いて見ても、わからないのに相違ございませんん」

こう平太夫が口軽く、扇の音と一しょに申しますと、摩利信乃法師はまるで又、どこの殿様かと疑われる、鷹揚な言つきで、
「わしもその方に会ったのは何よりも満足じゃ。何時ぞや油小路の道祖の神の祠の前でも、ちらと見かけた事があったが、その方は側目もふらず、文をつけた橘の枝を力なくかつぎながら、もの思わしげにたどたどと屋形の方へ歩いて参った」
「さようでございますか。それは又年甲斐もなく、失礼な事を致したものでございます」

平太夫はあの朝の事を思い出したのでございましょう。苦々しげにこう申しましたが、やがて勢いの好い扇の音が、再びはたはたと致しますと、
「しかしこうして今日御眼にかかられたのは、全く清水寺の観世音菩薩の御利益ででもございましょう。平太夫一生の内に、これ程嬉しい事はございません」
「いや、予が前で仏神の名は申すまい。不肖ながら、予は天上皇帝の神勅を蒙って、わが日の本に摩利の教を布こうと致す沙門の身じゃ」

急に眉をひそめたらしいけはいで、こう摩利信乃法師が言を挾みましたが、存外平

太夫は恐れ入った気色もなく、扇と舌と同じように働かせながら、
「成程さようでございましたな。平太夫も近頃はめっきり老耄れたと見えまして、する事為す事悉く落度ばかりでございます。いや、そう云う次第ならもうあなた様の御前では、二度と神仏の御名は口に致しますまい。尤も日頃はこの老爺も、余り信心気などと申すものがある方ではございません。それを唯今急に、観世音菩薩などと述べ立てましたのは、全く久しぶりで御目にかかったのが、嬉しかったからでございます。そう申せば姫君も幼馴染のあなた様が御無事でいらっしゃると御聞きになったら、どんなにか御喜びになる事でございましょう」と、ふだん私どもに向っては、返事をするのも面倒そうな、口の重い容子とは打って変って、勢いよく弁じ立てました。こればにはあの摩利信乃法師も、返事のしようさえなさそうに暫くは唯、頷いてばかりいるようでございましたが、やがてその姫君と云う言を機会に、
「さてその姫君に就いてじゃが、予は聊か密々に御意得たい仔細がある」と、云って、一段と又声をひそめながら、
「何と平太夫、その方の力で夜分なりと、御目にかからせてはくれまいか」
するとこの時橋の上では、急に扇の音が止んでしまいました。それと同時に私の甥は、危く欄干の方を見上げようと致しましたが、元より迂闊な振舞をしては、ここに

潜んでいる事が見露されないものでもございません。そこでやはり河原の中を流れて行く水の面を眺めたまい、息もつかずに上の容子に気をくばっておりました。その間の長さと申しましたら、橋の下の私の甥には、体中の筋骨が妙にむず痒くなった位、待ち遠しかったそうでございます。

「たとい河原とは申しながら、予も洛中に住まうものじゃ。堀川の殿がこの日頃、姫君のもとへしげしげと、通わるる趣も知ってはいる。——」

やがて又摩利信乃法師は、相不変もの静かな声で、独り言のように言を継ぐと、

「が、予は姫君が恋しゅうて、御意得たいと申すのではない。予の業慾に憧るる心は、一度唐土にさすらって、紅毛碧眼の胡僧の口から、天上皇帝の御教を聴聞すると共に、滅びてしもうた。唯、予が胸を痛めるのは、あの玉のような姫君も、この天地を造らせ給うた天上皇帝を知られぬ事じゃ。されば神と言い仏と云う天魔外道*の類を信仰せられて、その形になぞらえた木石にも香花を供えられる。かくてはやがて命終の期に臨んで、永劫消えぬ地獄の火に焼かれ給うように相違ない。予はその事を思う度に、阿鼻大城*の暗の底へ逆落しに落ちさせらるる、あえかな姫君の姿さえありありと眼に浮んで来るのじゃ。現に昨夜も。——」

こう云いかけて、あの沙門はさも感慨に堪えないらしく、次第に力の籠って来た口を暫くの間とざしました。

二十三

「昨晩、何かあったのでございますか」

程経て平太夫が、心配そうに、こう相手の言を促しますと、摩利信乃法師はふと我に返ったように、又元の静かな声で、一言毎に間を置きながら、

「いや、何もあったと申す程の仔細はない。が、予は昨夜もあの菰だれの中で、独りうとうと眠っておると、柳の五つ衣を着た姫君の姿が、夢に予の枕もとへ歩みよられた。唯、現と異ったは、日頃つややかな黒髪が、朦朧と煙った中に、黄金の釵子が怪しげな光を放っておっただけじゃ。予は絶えて久しい対面の嬉しさに、『ようこそ見えられた』と声をかけたが、姫君は悲しげな眼を伏せて、予の前に坐られたまま、答えさえもせらるる気色はない。と思えば紅の袴の裾の姿が見えた。それが袴の裾ばかりか、ように見るに従って、肩にも居れば、胸にも居る。中には黒髪の中にいて、えせ笑うらしいものもあった。——」

「と仰有っただけでは解せませんが、一体何が居ったのでございます」

この時は平太夫も、思わず知らず沙門の調子に釣り込まれてしまったのでございましょう。こう尋ねました声ざまには、もうさっきの気負った勢いも聞えなくなっておりました。が、摩利信乃法師は、やはりもの思わしげな口ぶりで、

「何が居ったと申す事は、予自身にもしかとはわからぬ。予は唯、水子程の怪しげなものが、幾つとなく群って、姫君の身のまわりに蠢いているのを眺めただけじゃ。が、それを見ると共に、夢の中ながら予は悲しゅうなって、声を惜しまず泣き叫んだ。姫君も予の泣くのを見て、頬に涙を流される。それが久しい間続いたと思うたが、やがて、どこやらで鶏が啼いて、予の夢はそれぎり覚めてしもうた」

摩利信乃法師がこう語り終りますと、今度は平太夫も口を噤んで、一しきりやめていた扇を又も使い出しました。私の甥はその間中鈎にかかった鮠の涼しさも忘れる位、聞き耳を立てておりましたが、この夢の話を聞いている中は、橋の下の涼しさが、何となく肌身にしみて、そう云う御姫様の悲しい御姿を、自分も何時か朧げに見た事があるような、不思議な気が致したそうでございます。

その内に橋の上では、又摩利信乃法師の沈んだ声がして、

「予はその怪しげなものを妖魔じゃと思う。されば天上皇帝は、堕獄の業を負わせられた姫君を憐れと見そなわして、予に教化を施せと霊夢を賜ったのに相違ない。予が

その方の力を藉りて、姫君に御意得たいと申すのは、こう云う仔細があるからじゃ。何と予が頼みを聞き入れてはくれまいか」

それでも猶、平太夫は暫くためらっていたようでございますが、やがて扇をつぼめたと思うと、それで欄干を丁と打ちながら、

「よろしゅうございます。この平太夫は何時ぞや清水の阪の下で、辻冠者ばらと刃傷を致しました時、すんでに命も取られる所を、あなた様の御かげに、落ち延びる事が出来ました。その御恩を思いますと、あなた様の仰有る事に、いやと申せた義理ではございません。摩利の教とやらに御帰依なさるか、なさらないか、それは姫君の御意次第でございますが、久しぶりであなた様の御目にかかると申す事は、姫君も御嫌ではございますまい。とにかく私の力の及ぶ限り、御対面だけはなされるように御取り計らい申しましょう」

二十四

その密談の仔細を甥の口から私が詳しく聞きましたのは、それから三四日たった或朝の事でございます。日頃は人の多い御屋形の侍所も、その時は私共二人だけで、眩ゆく朝日のさした植込みの梅の青葉の間からは、それでも涼しいそよ風が、そろそろ

動こうとする秋の心もちを時々吹いて参りました。

私の甥はその話を終ってから、一段と声をひそめますと、

「一体あの摩利信乃法師と云う男が、どうして姫君を知っているのだか、それは元より私にも不思議と申す外はありませんが、とにかくあの沙門が姫君の御意を得るような事でもあると、どうもこの御屋形の殿様の御身の上には、思いもよらない凶変でも起りそうな不吉な気がするのです。が、このような事は殿様に申上げても、あの通りの御気象ですから、決して御取り上げにはならないのに相違ありません。そこで、私は私の一存で、あの沙門を姫君の御目にかかれないようにしようと思うのですが、叔父さんの御考えはどういうものでしょう」

「それはわしも、あの怪しげな天狗法師などに姫君の御顔を拝ませたく無い。が、御主もわしも、殿様の御用を欠かぬ限りは、西洞院の御屋形の警護ばかりしておる訳にも行かね筈じゃ。されば御主はあの沙門を、姫君の御身のまわりに、近づけぬと云うたにした所で。——」

「さあ、そこです。姫君の思召しも私共には分りませんし、その上あすこには平太夫と云う老爺も居りますから、摩利信乃法師が西洞院の御屋形に立寄るのは、迂濶に邪魔も出来ません。が、四条河原の蓆張りの小屋ならば、毎晩きっとあの沙門が寝泊り

する所ですから、随分こちらの思案次第で、二度とあの沙門が洛中へ出て来ないようにすることも出来そうなものだと思うのです」
「と云うて、あの小屋で見張りをしてる訳にも行くまい。御主の申す事は、何やら謎めいた所があって、わしのような年寄りには十分に解し兼ねるが、一体御主はあの摩利信乃法師をどうしようと云う心算なのじゃ」
　私が不審そうにこう尋ねますと、私の甥はあたかも他聞を憚るように、梅の青葉の影がさしている部屋の前後へ目をくばりながら、私の耳へ口を附けて、
「どうすると云うて、外に仕方のある筈がありません。夜更けにでも、そっと四条河原へ忍んで行って、あの沙門の息の根を止めてしまうばかりです」
　これにはさすがの私も暫くの間は呆れ果てて、二の句をつぐ事さえ忘れておりましたが、甥は若い者らしい、一図に思いつめた調子で、
「何、高があの通りの乞食法師です。たとい加勢の二三人はあろうとも、仕止めるのに造作はありますまい」
「が、それはどうもちと無法なようじゃ。成程あの摩利信乃法師は邪宗門を拡めては歩いていようが、その外には何一つ罪らしい罪も犯しておらぬ。さればあの沙門を殺すのは、云わば無辜を殺すとでも申そう。——」

「いや、理窟はどうでもつくものです。それよりももしあの沙門が、例の天上皇帝の力で何か藉りて、殿様や姫君を呪うような事があったとして御覧なさい。叔父さん始め私まで、こうして禄を頂いている甲斐がないじゃありませんか」

私の甥は顔を火照らせながら、どこまでもこう弁じつづけて、私などの申す事には、とんと耳を藉しそうな気色さえもございません。——すると丁度そこへ外の侍たちが、扇の音をさせながら、二三人はいって参りましたので、とうとうこの話もその場限り、御流れになってしまいました。

二十五

それから又、三四日はすぎたように覚えております。或星月夜の事でございましたが、私は甥と一しょに更闌けてから四条河原へそっと忍んで参りました。その時でさえまだ私には、あの天狗法師を殺そうと云う心算もなし、又殺す方がよいと云う気もあった訳ではございません。が、どうしても甥が初の目ろみを捨てないのと、甥を一人でやる事が何故か妙に気がかりだったので、とうとう私までが年甲斐もなく、河原蓬の露に濡れながら、摩利信乃法師の住む小屋を目がけて、窺いよることになったのでございます。

御承知の通りあの河原には、見苦しい非人小屋が、何軒となく立ち並んでおりますが、今はもうここに多い白癩の乞食たちも、私などが思いもつかない、怪しげな夢をむすびながら、ぐっすり睡入っておるのでございましょう。私と甥とが足音を偸み偸み、静かにその小屋の前を通りぬけました時も、席壁の後には唯、高鼾の声が聞えるばかり、どこもかしこもひっそりと静まり返って、たった一所焚き残してある芥火さえ、風もないのか夜空へ白く、まっすぐな煙をあげております。殊にその煙の末が、所斑な天の川と一つでいるのを眺めますと、どうやら数え切れない星屑が、洛中の天を傾けて、一尺ずつ一寸ずつ、辷る音まではっきりと聞きとれそうに思われました。

　その内に私の甥は、兼ねて目星をつけて置いたのでございましょう、加茂川の細い流れに臨んでいる、菰だれの小屋の一つを指さしまして、河原蓬の中に立ったまま、私の方をふり向きまして、
「あれです」と、一言申しました。折からあの焚き捨てた芥火が、まだ焔の舌を吐いているそのかすかな光に透かして見ますと、小屋はどれよりも小さい位で、竹の柱も古蓆の屋根も隣近所と変りはございませんが、それでもその屋根の上には、木の枝を組んだ十文字の標が、夜目にもいかめしく立っております。

「あれか」

私は覚束ない声を出して、何と云う事もなくこう問い返しました。実際その時の私には、まだ摩利信乃法師を殺そうとも、殺すまいとも、はっきりした決断がつかずにいたのでございます。が、そう云う内にも私の甥が、今度はふり向くらしい容子もなく、じっとその小屋を見守りながら、

「そうです」と、素っ気なく答える声を聞きますと、愈、太刀へ血をあやす時が来たと云う、何とも云いようのない心もちで、思わず総身がわななきました。すると甥は早くも身仕度を整えたものと見えて、太刀の目釘を叮嚀に潤しますと、まるで私には目もくれず、そっと河原蓬を踏み分けながら、餌食を覗う蜘蛛のように、音もなく小屋の外へ忍びよりました。いや全く芥火の朧げな光のさした、席壁にぴったり体をよせて、内のけはいを窺っている私の甥の後姿は、何となく大きな蜘蛛のような気味の悪いものに見えたのでございます。

二十六

が、こう云う場合に立ち至ったからは、元よりこちらも手を束ねて、見ておる訳には参りません。そこで水干の袖を後で結ぶと、甥の後から私も、小屋の外へ窺いよっ

て、蓆の隙から中の容子を、じっと覗きこみました。すると先、眼に映ったのは、あの旗竿に掲げて歩く女菩薩の画像でございます。それが今は、向うの蓆壁にかけられて、形ははっきりと見えませんが、入口の菰を洩れる芥火の光をうけて、美しい金の光輪ばかりが、まるで月蝕が何かのように、ほんのり燦めいておりました。又その前に横になっておりますのは、昼の疲れに前後を忘れた摩利信乃法師でございましょう。それからその寝姿を半蔽っている、着物らしいものが見えましたが、これは芥火に反いているので、噂に聞く天狗の翼だか、それとも天竺にあると云う火鼠の裘だかわかりません。——

この容子を見た私どもは、云わず語らず両方から沙門の小屋を取囲んで、そっと太刀の鞘を払いました。が、私は初めからどうも妙な気おくれが致していたからでございましょう。その拍子に手もとが狂って、思わず鋭い鍔音を響かせてしまったではございませんか。すると私が心の中ではっと思う暇さえなく、今まで息もしなかった菰だれの向うの摩利信乃法師が、忽ち身を起したらしいけはいを見せて、「誰じゃ」と、一声咎めました。もうこうなっては、甥を始め、私までも騎虎の勢いで、どうしてもあの沙門を、殺すより外はございません。そこでその声がするや否や、前と後と一斉に、ものも云わず白刃をかざして、いきなり小屋の中へつきこみました。

その白刃の触れ合う音、竹の柱の折れる音、席壁の裂け飛ぶ音、――そう云う物音が凄じく、一度に致したと思いますと、矢庭に甥が、二足三足後の方へ飛びすさって、「おのれ、逃がしてたまろうか」と、太刀をまっこうにふりかざしながら、苦しそうな声でおめきました。その声に驚いて私も素早く跳ねのきながら、まだ燃えている芥火の光にきっと向うを透かして見ますと、あの無気味な摩利信乃法師が、薄色の袿を肩にかけて、まるで猿のように身をかがめながら、例の十文字の護符を額にあてて、じっと私どもの振舞を窺っているのでございます。これを見た私は、元よりすぐにも一刀浴びせようとあせりましたが、どう云うものか、あの沙門の身をかがめたまわりには、自然と闇が濃くなるようで、容易に飛びかかる隙がございません。或はその闇の中に、何やら目に見えぬものが渦巻くようで、太刀の狙いが定まらなかったと申しましょうか。これは甥も同じ思いだったものと見えて、時々喘ぐように叫びますが、白刃は何時もその頭の上に目まぐるしくくるくると輪ばかり描いておりました。

二十七

その内に摩利信乃法師は、徐に身を起しますと、十文字の護符を左右にふり立てな

がら、嵐の叫ぶような凄い声で、
「やい。おのれらは勿体なくも、天上皇帝の御威徳を蔑に致す心得か。この摩利信乃法師が一身は、おのれらの曇った眼には、唯、墨染の法衣の外に蔽うものもないようじゃが、誠は諸天童子の数を尽して、百万の天軍が守っておるぞよ。ならば手柄にその白刃をふりかざして、法師の後に従うた聖衆の車馬剣戟と力を競うて見るがよいわ」と、末は嘲笑うように罵りました。
　元よりこう嚇されても、それに怯毛を震う様な私どもではございません。甥と私とはこれを聞くと、まるで綱を放れた牛のように、両方からあの沙門を目蒐けて斬ってかかりました。いや、将に斬ってかかろうとしたとでも申しましょうか。と申しますのは、私どもが太刀をふりかぶった刹那に、摩利信乃法師が十文字の護符を、一しきり又頭の上で、振りまわしたと思いますと、その護符の金色が、稲妻のように宙へ飛んで、忽ち私どもの眼の前へは、恐ろしい幻が現れたのでございます。ああ、あの恐ろしい幻は、どうして私などの口の先で、御話し申す事が出来ましょう。もし出来と致しましても、それは恐らく麒麟の代りに、馬を指して見せると大した違いはございますまい。が、出来ないながら申上げますと、最初あの護符が空へあがった拍子に、私は河原の闇が、突然摩利信乃法師の後だけ、裂け飛んだように思いました。すると

その闇の破れた所には、数限りもない焰の馬や焰の車が、竜蛇のような怪しい姿といっしょに、雨より急な火花を散らしながら、今にも私共の頭上をさして落ちかかるかと思うばかり、天に溢れてありありと浮び上ったのでございます。と思うと又、その中に旗のようなものや、剣のようなものも、何千何百となく燦いて、そこからまるで大風の海のような、凄じいもの音が、河原の石さえ走らせそうに、どっと沸き返って参りました。それを後に背負いながら、やはり薄色の袿を肩にかけて十文字の護符をかざしたまま、厳に立っているあの沙門の異様な姿は、全くどこかの大天狗が、地獄の底から、魔軍を率いて、この河原のただ中へ天下ったようだとでも申しましょうか。

——

私どもは余りの不思議に、思わず太刀を落すや否や、頭を抱えて右左へ、一たまりもなくひれ伏してしまいました。するとその頭の空に、摩利信乃法師の罵る声が、又いかめしく響き渡って、

「命が惜しくば、その方どもも天上皇帝に御詫申せ。さもない時は立ちどころに、護法百万の聖衆たちは、その方どもの臭骸を段々壊に致そうぞ」と、雷のように呼わります。その恐ろしさ、物凄さと申しましたら、今になって考えましても、身ぶるいが出ずにはおられません。そこで私もとうとう我慢が出来なくなって、合掌した手をさ

し上げながら、眼をつぶって恐る恐る、「南無天上皇帝」と称えました。

二十八

それから先の事は、申し上げるのさえ、御恥しい位でございますから、なる可く手短に御話し致しましょう。私どもが天上皇帝を祈りましたせいか、あの恐ろしい幻は間もなく消えてしまいましょう。その代り太刀音を聞いて起って来た非人たちが、四方から私どもをとり囲みましたが、それが又、大抵は摩利の教の信者たちでございますから、私どもが太刀を捨ててしまったのを幸に、いざと云えば手ごめにでもし兼ねない勢いで、口々に凄じく罵り騒ぎながら、まるで穽にかかった狐でも見るように、男も女も折り重なって、憎さげに顔を覗きこもうとするのでございます。その何人とも知れない白癩どもの面が、新に燃え上った芥火の光を浴びて、星月夜の空も見えない程、前後左右から頸をのばした気味悪さは、到底この世のものとは思われません。

が、その中でもさすがに摩利信乃法師は、徐に哮り立つ非人たちを宥めますと、例の怪しげな微笑を浮べながら、私どもの前へ進み出まして、天上皇帝の御威徳の難有い本末を懇々と説いて聴かせました。が、その間も私の気になって仕方がなかったのは、あの沙門の肩にかかっている、美しい薄色の袿の事でございます。

元より薄色の袿と申しても、世間に類の多いものではございますが、もしやあれは中御門の姫君の御召し物ではございますまいか。万一そうだと致しましたら、姫君はもう何時の間にか、あの沙門と御対面になったのでございましょうし、或はその上に摩利の教も、御帰依なすってしまわないとは限りません。こう思いますと私は、おちおち相手の申します事も、耳にはいらない位でございましたが、うっかりそんな素振を見せましては、又どんな恐ろしい目に遇わされないものでもございますまい。しかも摩利信乃法師の容子では、私どもも唯、神仏を蔑されるのが口惜しいので、闇討をしかけたものだとでも思ったのでございましょう。幸、堀川の若殿様に御仕え申している事などは、気のつかないように見えましたから、あの薄色の袿にも、成る可く眼をやらないようにして、河原の砂の上に坐ったまま、わざと神妙にあの沙門の申す事を聴いているらしく装いました。

するとそれが先方には、如何にも殊勝げに見えたのでございましょう。一通り談義めいた事を説いて聴かせますと、摩利信乃法師は顔色を和げながら、あの十文字の護符を私どもの上にさしかざして、

「その方どもの罪業は無知蒙昧の然らしめた所じゃによって、天上皇帝も格別の御宥免を賜わせらるるに相違あるまい。さればわしもこの上猶、叱り懲そうとは思うてい

ぬ。やがては又、今夜の闇討が縁となって、その方どもが摩利の御教に帰依し奉る時も参るであろう。じゃによってその時が参るまでは、一先この場を退散致したが好い」と、もの優しく申してくれました。尤もその時でさえ、非人たちは、今にも摑みかかりそうな、凄じい気色を見せておりましたが、これもあの沙門の鶴の一声で、素直に私どもの帰る路を開いてくれたのでございます。

そこで私と甥とは、太刀を鞘におさめる間も惜しいように、匆々四条河原から逃げ出しました。その時の私の心もちと申しましたら、嬉しいとも、悲しいとも、乃至又残念だとも、何ともお話の致しようがございません。でございますから河原が遠くなって、唯、あの芥火の赤く揺めくまわりに、白癩どもが蟻のように集って、何やら怪しげな歌を唄っておりますが、かすかに耳へはいりました時も、私どもは互の顔さえ見ずに、黙って吐息ばかりつきながら、歩いて行ったものでございます。

二十九

それ以来私どもは、よるとさわると、額を鳩めて、摩利信乃法師と中御門の姫君とのいきさつを互に推量し合いながら、どうかしてあの天狗法師を遠ざけたいと、いろいろ評議を致しましたが、さて例の恐ろしい幻の事を思い出しますと、容易に名案も

浮びません。尤も甥の方は私より若いだけに、まだ執念深く初一念を捨てないで場合によったら平太夫のしたように、辻冠者どもでも駆り集めたらもう一度四条河原の小屋を劫そう位な考えがあるようでございました。ところがその内に、思いもよらず、又私どもは摩利信乃法師の神変不思議な法力に、驚くような事が出来たのでございます。

それはもう秋風の立ち始めました頃、長尾の律師様が嵯峨に阿弥陀堂を御建てになって、その供養をなすった時の事でございます。その御堂も只今は焼けてございませんが、何しろ国々の良材を御集めになった上に、高名な匠たちばかり御召しになって、莫大な黄金も御かまいなく、御造りになったのでございますから、御規模こそさのみ大きくなくっても、その荘厳を極めておりました事は、略御推察が参るでございましょう。

別してその御堂供養の当日は、上達部殿上人は申すまでもなく、女房たちの参ったのも数限りない程でございましたから、東西の廊に寄せてあるさまざまの車と申し、その廊々の桟敷をめぐった、錦の縁のある御簾と申し、或は又御簾際になまめかしくうち出した、萩、桔梗、女郎花などの褄や袖口の彩りと申し、うららかな日の光を浴びた、境内一面の美しさは、目のあたりに蓮華宝土*の景色を見るようでございました。

それから、廊に囲まれた御庭の池にはすきまもなく、紅蓮白蓮の造り花が簇々と咲きならんで、その間を竜舟が一艘、錦の平張りを打ちわたして、蛮絵を着た童部たちに画棹の水を切らせながら、微妙な楽の音を漂わせて、悠々と動いておりましたのも、涙の出る程尊げに拝まれたものでございます。

まして正面を眺めますと、御堂の犬防ぎが燦々と螺鈿を光らせている後には、名香の煙のたなびく中に、御本尊の如来を始め勢至観音などの御姿が、紫磨黄金の御顔や玉の瓔珞を仄々と、御現しになっている難有さは、又一層でございました。その御仏の前の庭には、供養の式に連っている何十人かの僧どもも、見るも眩い宝蓋の下に、講師読師の高座がざいましたが、礼磐を中に挟みながら、法衣や袈裟の青や赤が如何にも美々しく入り交って、経を読む声、鈴を振る音、或は栴檀沈水の香などが、その中から絶え間なく晴れ渡ったまっ青な秋の空へ、うらうらと昇って参ります。

するとその供養のまっ最中、四方の御門の外に群って、一目でも中の御容子を拝もうとしていた人々が、俄に何事が起ったのか、見る見るどっとどよみ立って、まるで風の吹き出した海のように、押しつ押されつし始めました。

三十

この騒ぎを見た看督長は、早速そこへ駈けつけて、高々と弓をふりかざしながら、御門の中へ乱れ入った人々を、打ち鎮めようと致しました。が、その人波の中を分けて、異様な風俗の沙門が一人、姿を現したと思いますと、看督長は忽ち弓をすてて、往来の遮をするどころか、そのままそこへひれ伏しながら、まるで帝の御出ましを御拝み申す時のように、礼を致したではございませんか。外の騒動に気をとられて、一しきりざわめき立った御門の中が、急にひっそりと静まりますと、又「摩利信乃法師、摩利信乃法師」と云う囁き声が、丁度蘆の葉に渡る風のように、どこからともなく起ったのは、この時の事でございます。

摩利信乃法師は、今日も例の通り、墨染の法衣の肩へ長い髪を乱しながら、十文字の護符の黄金を胸のあたりに燦かせて、足さえ見るも寒そうな素跣足でございました。その後には何時もの女菩薩の幢が、秋の日の光の中にいかめしく掲げられておりましたが、これは誰か供のものが、さしかざしてでもいたのでございましょう。

「方々にもの申そう。これは天上皇帝の神勅を賜わって、わが日の本に摩利の教を布こうとする摩利信乃法師と申すものじゃ」

あの沙門は悠々と看督長の拝に答えてから、砂を敷いた御庭の中へ、恐れげもなく進み出て、こう厳な声で申しました。それを聞くと御門の中は、又ざわめきたちまし

たが、さすがに検非違使たちばかりは、思いもかけない椿事に驚きながらも、役目は忘れなかったのでございましょう。火長と見えるものが二三人、手に手に得物提げて、声高に狼藉を咎めながら、あの沙門へ走りかかりますと、矢庭に四方から飛びかかって、搦め取ろうと致しました。が、摩利信乃法師は憎さげに、火長たちを見やりながら、

「打たば打て。取らば取れ。但、天上皇帝の御罰は立ち所に下ろうぞよ」と、嘲笑うような声を出しますと、その時胸に下っていた十文字の護符が日を受けて、ひるかみなり昼雷にでも打たれたかと思うばかり、ぴかりと光ると同時に、何故か相手は得物を捨てて、転び倒れてしまいました。あの沙門の足もとへ、

「如何に方々。天上皇帝の御威徳は、唯今目のあたりに見られた如くじゃ」

摩利信乃法師は胸の護符を外して東西の廊へ代る代る、誇らしげにさしかざしながら、

「元よりかような霊験は不思議もない。抑も天上皇帝とは、この天地を造らせ給うた唯一不二の大御神じゃ。この大御神を知らねばこそ、方々はかくも信心の誠を尽して、阿弥陀如来なんぞと申す妖魔の類を事々しく、供養せらるるげに思われた。この暴言にたまり兼ねたのでございましょう。さっきから誦経を止めて、茫然と事

の次第を眺めていた僧たちは、俄にどよめきを挙げながら、「打ち殺せ」とか「搦め取れ」とか頻りに罵り立てましたが、さて誰一人として席を離れて、摩利信乃法師を懲そうと致すものはございません。

　　　　　三十一

　するとと摩利信乃法師は傲然と、その僧たちの方を睨めまわして、「過てるを知って憚る事勿れ*とは、唐国の聖人も申された。一旦、仏菩薩の御威徳を讃え奉るに若くはない。又もし、摩利信乃法師の教に帰依あって、勾々摩利の申し条に疑いあって、仏菩薩が妖魔か、天上皇帝が邪神か、決定致し兼ぬるとあるならば、如何ようにも法力を較べ合せて、いずれが正法か弁別申そう」と、声も荒らかに呼ばわりました。
　が、何しろ唯今も、検非違使たちが目のあたりに、気を失って倒れたのを見ておるのでございますから、御簾の内も御簾の外も、水を打ったように声を呑んで、もに誰一人、進んであの沙門の法力を試みようと致すものは見えません。所詮は長尾の僧都は申すまでもなく、その日御見えになっていらしった山の座主*や仁和寺の僧正*も、現人神のような摩利信乃法師に、胆を御挫かれになったのでございましょう。供

養の庭は暫くの間、竜舟の音楽も声を絶って、造り花の蓮華にふる日の光の音さえ聞えた位、しんと静まり返ってしまいました。
沙門はそれに又一層力を得たのでございましょう。例の十文字の護符をさしかざして、天狗のように嘲笑いますと、
「これは又笑止千万な。南都北嶺とやらの聖僧たちも少からぬようには見うけたが、一人としてこの摩利信乃法師と法力を較べようずものも現れぬは、さては天上皇帝を始め奉り、諸天童子の御神光に恐れをなして、貴賤老若の嫌いなく、吾が摩利の法門に帰依し奉ったものと見える。さらばこの場に於て、先ず山の座主から一人一人灌頂の儀式*を行うてとらせようか」と、威丈高に罵りました。
ところがその声がまだ終らない中に、西の廊からただ一人、悠然と庭へ御下りになった、尊げな御僧がございます。金襴の裟裟、水晶の念珠、それから白い双の眉毛
——一目見ただけでも、天が下に功徳無量の名を轟かせた、横川の僧都*だと申す事は疑おうようもございません。僧都は年こそとられましたが、たぶたぶと肥え太った体を徐に運びながら、摩利信乃法師の眼の前へ、おごそかに歩みを止めますと、
「こりゃ下郎。唯今もその方が申す如く、この御堂供養の庭には、法界の竜象数*を知らず並みいられるには相違ない。が、鼠に拠つにも器物を忌むの慣い、誰かその方如

き下郎づれと、法力の高下を競わりょうぞ。さればその方は先ず已を恥じて、匆々こ の宝前を退散す可き分際ながら、推して神通を較べようなどは、近頃以て奇怪至極じゃ。思うにその方は何処かにて金剛邪禅*の法を修した外道の沙門と心得る。じゃによって一つは三宝*の霊験を示さん為、一つはその方の魔縁に惹かれて、無間地獄に墜ちようず衆生を救うてとらさん為、老衲自*らその方と法験を較べに罷り出た。たといその方の幻術がよく鬼神を駆り使うとも、護法の加護ある老衲には一指を触るる事すらよも出来まい。されば仏力の奇特を見て、その方こそ受戒致してよかろう」と、大獅子吼を浴せかけ、忽ち印を結ばれました。

三十二

するとその印を結んだ手の中から、俄に一道の白気が立上って、それが隠々と中空へたなびいたと思いました。丁度僧都の頭の真上に、宝蓋をかざしたような一団の靄がたなびきました。いや、靄と申したのでは、あの不思議な雲気の模様が、まだ十分御会得には参りますまい。もしそれが靄だったと致しましたら、その向うにある御堂の屋根などは霞んで見えない筈でございますが、この雲気は唯、虚空に何やら形の見えぬものが蟠まったと思うばかりで、晴れ渡った空の色さえ、元の通り朗かに見透か

されたのでございます。
御庭をめぐっていた人々は、いずれもこの雲気に驚いたのでございましょう。又どこからともなく風のようなざわめきが、御簾を動かすばかり起りましたが、その声のまだ終らない中に、印を結び直した横川の僧都が、徐に肉の余った顎を動かして、秘密の呪文を誦しますと、忽ちその雲気の中に、朦朧とした二尊の金甲神*の勇ましく金剛杵をふりかざしながら、影のように姿を現しました。これもあると思えばあり、ないと思えばないような幻ではございます。が、その宙を踏んで飛舞する容子は、今にも摩利信乃法師の脳上へ、一杵を加えるかと思う程、神威を帯びておったのでございます。

しかし当の摩利信乃法師は、相不変高慢の面をあげて、じっとこの金甲神の姿を眺めたまま、眉毛一つ動かそうとは致しません。それどころか、堅く結んだ唇のあたりには、例の無気味な微笑の影が、さも嘲りたいのを堪えるように、漂っておるのでございます。すると その不敵な振舞に腹を据え兼ねたのでございましょう。横川の僧都は急に印を解いて、水晶の念珠を振りながら、
「叱」と、嗄れた声で大喝しました。
その声に応じて金甲神が、雲気と共に空中から、舞下ろうと致しましたのと、下に

いた摩利信乃法師が、十文字の護符を額に当てながら、何やら鋭い声で叫びましたのとが、全く同時でございます。この拍子に瞬く間、虹のような光があって空へ昇ったと見えましたが、金甲神の姿は跡もなく消え失せて、その代りに僧都の水晶の念珠が、まん中から二つに切れると、珠はさながら霰のように、憂然と四方へ飛び散りました。
「御坊の手なみは既に見えた。金剛邪禅の法を修したとは、とりも直さず御坊の事じゃ」

勝ち誇ったあの沙門は、思わずどっと鬨をつくった人々の声を圧しながら、高らかにこう罵りました。その声を浴びた横川の僧都が、どんなに御悄れなすったか、それは別段とり立てて申すまでもございますまい。もしもあの時御弟子たちが、先を争いながら進みよって、介抱しなかったと致しましたら、恐らく満足には元の廊へも帰られなかった事でございましょう。その間に摩利信乃法師は、愈 誇らしげに胸を反せて、

「横川の僧都は、今天が下に法誉無上の大和尚と承わったが、この法師の眼から見れば、天上皇帝の照覧を昏まし奉って、妄に鬼神を使役する、云おうような火宅僧じゃ。されば仏菩薩は妖魔の類、釈教は堕獄の業因と申したが、摩利信乃法師一人の誤りか。さもあらばあれ、まだこの上にもわが摩利の法門へ帰依しょうと思立たれずば、

元より僧俗の嫌いはない、何人なりともこの場に於て、天上皇帝の御威徳を目のあたりに試みられい」と、八方を睨みながら申しました。

その時、又東の廊に当って、御装束の姿もあたりを払って、悠然と御庭へ御下りになりましたのは、別人でもない堀川の若殿様でございます。（未完）

「応」と、涼しく答えますと、

好

色

平中といふ色ごのみにて、宮仕人はさらなり、人の女など忍びて見ぬはなかりけり。
何でかこの人に不会では止まむと思ひ迷ける程に、平中病付にけり。
る程に死にけり。
色を好むといふは、かやうのふるまひなり。

　　　宇治拾遺物語
　　　今昔物語
　　　十訓抄　　然して悩け

一　画　姿

泰平の時代にふさわしい、優美なきらめき烏帽子の下には、下ぶくれの顔がこちらを見ている。そのふっくりと肥った頰に、鮮かな赤みがさしているのは、何も臙脂をぼかしたのではない。男には珍しい餅肌が、自然と血の色を透かせたのである。髭は品の好い鼻の下に、──と云うよりも薄い唇の左右に、丁度薄墨を刷いたように、僅ばかりしか残っていない。しかしつややかな鬢の上には、霞も立たない空の色さえ、ほんのりと青みを映している。耳はその鬢のはずれに、ちょいと上った耳たぶだけ見

える。それが蛤の貝のような、暖かい色をしているのは、かすかな光の加減らしい。眼は人よりも細い中に、絶えず微笑が漂っている。殆どその瞳の底には、何時でも咲き匂った桜の枝が、浮んでいるのかと思う位、晴れ晴れした微笑が漂っている。が、多少注意をすれば、其処には必しも幸福のみが住まっていない事がわかるかも知れない。これは遠い何物かに、惝怳を持った微笑である。同時に又近い一切に、軽蔑を抱いた微笑である。頸は顔に比べると、寧ろ華奢すぎると評しても好い。その頸には白い汗衫の襟が、かすかに香を焚きしめた、菜の花色の水干の襟と、細い一線を画いている。顔の後にほのめいているのは、鶴を織り出した几帳であろうか？ それとものどかな山の裾に、女松を描いた障子であろうか？ とにかく曇った銀のような、薄白い明みが拡がっている。……

　これが古い物語の中から、わたしの前に浮んで来た「天が下の色好み」平の貞文の似顔である。平の好風によしかぜに子が三人ある、丁度その次男に生まれたから、平中と渾名を呼ばれたと云う、わたしの Don Juan の似顔である。

二　桜

　平中は柱によりかかりながら、漫然と桜を眺めている。近近と軒に迫った桜は、も

「始めて侍従を見かけたのは、――」

平中はこう思い続けた。

「始めて侍従を見かけたのは、――あれは何時の事だったかな？ そうそう、稲荷詣でに出かけると云っていたのだから、初午の朝だったに違いない。あの女が車へ乗ろうとする、おれが其処へ通りかかる、――と云うのが抑抑の起りだった。顔は扇をかざした陰にちらりと見えただけだったが、紅梅や萌黄を重ねた上へ、紫の袿をひっかけている、――その容子が何とも云えなかった。おまけに緋へはいる所だか、片手に袴をつかんだまま、心もち腰をかがめ加減にした、――その又恰好もたまらなかったっけ。本院の大臣の御屋形には、ずいぶん女房も沢山いるが、まずあの位なのは一人もないな。あれなら平中が惚れたと云っても、――」

平中はちょいと真顔になった。

「だが本当に惚れているかしら？ 惚れているといえば、惚れて、――一体こんな事は考えていると、だんだんわから惚れていないと云えば、惚れて、――一体こんな事は考えていると、だんだんわから

なくなるものだが、まあ一通りは惚れているな。尤もおれの事だから、いくら侍従に惚れたと云っても、眼さきまで昏んでしまいはしない。何時かあの範実のやつと、侍従の噂をしていたら、憶むらくは髪が薄すぎると、聞いた風な事を云ったっけ、範実なぞと云う男は、篳篥*な事は一目見た時に、もうちゃんと気がついていたのだ。こそちっとは吹けるだろうが、好色の話となった日には、――まあ、あいつはあいつとして置け。差向きおれが考えたいのは、侍従一人の事なのだから、――ところでもう少し欲を云えば、顔もあれじゃ寂しすぎるな。それも寂しすぎると云うだけなら、何処か古い画巻じみた、上品な所がある筈だが、寂しい癖には薄情らしい、妙に落着いた所があるのは、どう考えても頼もしくない。女でもああ云う顔をしたのは、存外人を食っているものだ。その上色も白い方じゃない。浅黒いとまでは行かなくっても、琥珀色位な所はあるものだ。しかし何時見てもあの女は、何だかこう水際立った、震いつきたいような風をしている。あれは確かにどの女も、真似の出来ない芸当だろう。

……」

平中は袴の膝を立てながら、うっとりと軒の空を見上げた。空は簇った花の間に、薄青い色をなごませている。

「それにしてもこの間から、いくら文を持たせてやっても、返事一つよこさないのは、

剛情にも程があるじゃないか？　まあおれが文をつけた女は、大抵は三度目に靡いてしまう。たまに堅い女があっても、五度と文をやった事はない。あの恵眼と云う仏師の娘なぞは、一首の歌だけに落ちたものだ。それもおれの作った歌じゃない。誰かが、――そう、そう、義輔が作った歌だっけ。義輔はその歌を書いてやっても、とんと先方の青女房には相手にされなかったとか云う話だが、同じ歌でもおれが書けば――尤も侍従はおれが書いても、やっぱり返事はくれなかったな、あんまり自慢は出来ないかも知れない。しかしとにかくおれの文には必ず女の返事が来る、返事が来れば逢う事になる。逢う事になれば大騒ぎをされる。大騒ぎをされれば――じきに又それが逢う事についてしまう。こうまあ相場がきまっていたものだ。ところが侍従には一月ばかりにしても、ざっと二十通も文を書いたが、何とも便りがないのだからな。おれの艶書の文体にしても、そう無際限にある訳じゃなし、そろそろもう跡が続かなくなった。だが今日やったから、そう今日の文の中には、『せめては唯見つとばかりの、二文字だに見せ給え』と書いてすれば、――何とか今度こそ返事があるだろう。ないかな？　もし今日もまたないとやったから、何とか今度こそ返事があるだろう。ないかな？　もし今日もまたないと地のない人間じゃなかったのだがな。何でも豊楽院の古狐は、女に化けると云う事だが、きっとあの狐に化かされたのは、こんな気がするのに違いない。同じ狐でも奈良

坂の狐は、三抱えもあろうと云う杉の木に化ける。嵯峨の狐は牛車に化ける。高陽川の狐は女の童に化ける。桃薗の狐は大池に化け——狐の事なぞはどうでも好い。ええと、何を考えていたのだっけ？」

平中は空を見上げたまま、そっと欠伸を噛殺した。花に埋まった軒先からは、傾きかけた日の光の中に、時時白いものが翻って来る。何処かに鳩も啼いているらしい。

「とにかくあの女には根負けがする。たとい逢うと云わないまでも、おれと一度話さえすれば、きっと手に入れて見せるのだがな。まして一晩逢いでもすれば、——あの摂津でも小中将でも、まだおれを知らない内は、男嫌いで通していたものだ。それがおれの手にかかると、あの通り好きものになるじゃないか？　侍従にしたところが金仏じゃなし、有頂天にならない筈はあるまい。しかしあの女はいざとなっても、小中将のようには恥しがるまいな。きっと袖を口へやると、眼だけにっこり笑いながら、——」

「殿様」
——
「殿様」

「殿様」
「どうせ夜の事だから、切り燈台か何かがともっている。その火の光があの女の髪へ、

平中はやや慌てたように、烏帽子の頭を後へ向けた。後には何時か童が一人、じっと伏し眼になりながら、一通の文をさし出している。何でもこれは一心に、笑うのをこらえていたものらしい。

「消息か？」

「はい、侍従様から、——」

童はこう云い終ると、匆々主人の前を下った。

「侍従様から？　本当かしら？」

平中は殆ど恐る恐る、青い薄葉の文を開いた。

「範実や義輔の悪戯じゃないか？ あいつ等はみんなこんな事が、何よりも好きな閑人だから、——おや、これは侍従の文だ。侍従の文には違いないが、——この文は、これは、——何と云う文だい？」

平中は文を抛り出した。文には「唯見つとばかりの、二文字だに見せ給え」と書いてやった、その「見つ」と云う二文字だけが、——しかも平中の送った文から、この二文字だけ切り抜いたのが、薄葉に貼りつけてあったのである。

「ああ、ああ、天が下の色好みとか云われるおれも、この位莫迦にされれば世話はないな。それにしても侍従と云うやつは、小面の憎い女じゃないか？ 今にどうするか

覚えていろよ。……」

平中は膝を抱えたまま、茫然と桜の梢をこずえ見上げた。青い薄葉のしなった上には、もう風に吹かれた落花が、点点と幾ひらもこぼれている。……

三 雨 夜

それから二月程たった後のちである。或長雨あるながあめの続いた夜よ、平中は一人本院の侍従の局つぼねへ忍んで行った。雨は夜空が溶け落ちるように、凄まじい響を立てている。路は泥濘みちでいと云うよりも、大水が出たのと変りはない。こんな晩にわざわざ出かけて行けば、いくらつれない侍従でも、憐れに思うのは当然である、——こう考えた平中は、局の口へ窺うかがよると、銀を張った扇を鳴らしながら、案内を請うように咳せきばらいをした。

すると十五六の女の童わらわが、すぐに其処そこへ姿を見せた。ませた顔に白粉おしろいをつけた、さすがに睡むねそうな女の童である。平中は顔を近づけながら、小声に侍従へ取次を頼んだ。

一度引きこんだ女の童は、局の口へ帰って来ると、やはり小声にこんな返事をした。
「どうかこちらに御待ち下さいまし。今に皆様が御休みになれば、御逢いになるそうでございますから」

平中は思わず微笑した。そうして女の童の案内通り、侍従の居間の隣らしい、遣戸*の側に腰を下した。
「やっぱりおれは智慧者だな」
平中は独りにやにやしていた。
「さすがの侍従も今度と云う今度は、とうとう心が折れたと見える。其処へ親切気を見せさえすれば、義輔や範実は何と云っても、——やつは、ものの哀れを感じ易いからな。こう云う甲所を知らないから、話が旨すぎるようだぞ。——」
女の童が何処かへ退いた後、平中はそろそろ落ちてしまう。だが今夜逢えると云うのは、何だか話が旨すぎるようだぞ。——」
平中はそろそろ不安になった。
「しかし逢いもしないものが、逢うと云う訳もなさそうなものだ。すると俺のひがみかな？　何しろざっと六十通ばかり、のべつに文を持たせてやっても、返事一つ貰えなかったのだから、ひがみの起るのも尤もな話だ。が、ひがみではないとしたら、——又つくづく考えると、ひがみではない気もしない事はない。いくら親切に絆されても、今までは見向きもしなかった侍従が、——と云っても相手はおれだからな。この位平中に思われたとなれば、急に心も融けるかも知れない」
平中は衣紋*を直しながら、怯ず怯ずあたりを透かして見た。が、彼のいまわりには、

くら闇の外に何も見えない。その中に唯雨の音が、檜肌葺の屋根をどよませている。
「ひがみだと思えば、ひがみのようだし、ひがみでないと、——いや、ひがみだと思っていれば、ひがみでも何でもなくなるし、ひがみでないと思っていれば、案外ひがみですみそうな気がする。一体運なぞと云うやつは、皮肉に出来ているものだからな。して見れば何でも一心にひがみでないと思う事だ。そうすると今にもあの女が、——おや、もうみんな寝始めたらしいぞ」

平中は耳を側立てた。成程ふと気がついて見れば、不相変小止みない雨声と一しょに、御前へ詰めていた女房たちが局局に帰るらしい、人ざわめきも聞えて来る。

「此処が辛抱のし所だな。もう半時もたちさえすれば、おれは何の造作もなく、日頃の思いが晴らされるのだ。が、まだ何だか肚の底には、安心の出来ない気もちもあるぞ。そうそう、これが好いのだけれ。しかし皮肉な運のやつは、逢われないものだと思っていれば、不思議に逢う事が出来るものだ。じゃ逢われると考えようか？　それにしても勘定ずくだから、やっぱりこちらの思うようには、——ああ、胸が痛んで来た。一そ何か侍従の胸算用も、見透かしてしまうかも知れないな。大分どの局もひっそりしたな。聞えるのは雨の音ばかりだ。じゃ早速眼をつぶって、雨の事でも考えるとしよう。春雨、五月雨、夕立、秋

雨、……秋雨と云う言葉があるかしら？　秋の雨、冬の雨、雨だれ、雨漏り、雨傘、雨乞い、雨竜、雨蛙、雨革、雨宿り、……」

こんな事を思っている内に、思いがけない物の音が、平中の耳を驚かせた。いや、驚かせたばかりではない、この音を聞いた平中の顔は、突然弥陀の来迎を拝した、信心深い法師よりも、もっと歓喜に溢れていた。何故と云えば遣戸の向うに、誰か懸け金を外した音が、はっきり耳に響いたのである。

平中は遣戸を引いて見た。戸は彼の思った通り、するりと閾の上を辷った。その向うには不思議な程、空焚きの匂が立ち罩めた、一面の闇が拡がっている。平中は静かに戸をしめると、そろそろ膝で這いながら、手探りに奥へ進み寄った。が、この艶った闇の中には、天井の雨の音の外に、何一つ物のけはいもしない。たまたま手がさわったと思えば、衣桁や鏡台ばかりである。平中はだんだん胸の動悸が、高まるような気がし出した。

「いないのかな？」

こう彼が思った時、いれば何とか云いそうなものだ」

探りまわすと、絹らしい打衣の袖にさわる。その衣の下の乳房にさわる。や頤にさわる。氷よりも冷たい髪にさわる。——平中はとうとうくら闇の中に、円円した頬

と独り横になった、恋しい侍従を探り当てた。
これは夢でも幻でもない。侍従は平中の鼻の先に、しどけない姿を横たえている。彼は其処にいすくんだなり、我知らずわなわな震え出した。が、侍従は不相変、身動きをする気色さえ見えない。こんな事は確かに何年か以前、大殿油の火影に見た何かの画巻にあったような心もちがする。それともあれは何年か以前、てあったような心もちがする。それともあれは何年か以前、

「忝ない。忝ない。今まではつれないと思っていたが、もう向後は御仏（みほとけ）よりも、お前に身命を捧げるつもりだ」

平中は侍従を引き寄せながら、こうその耳に囁（ささや）こうとした。が、いくら気は急いても、舌は上顎に引ついたまま、声らしいものは口へ出ない。その内に侍従の髪の匂や、妙に暖（あい）暖（あたた）かい肌の匂は、無遠慮に彼を包んで来る。——と思うと彼の顔へは、かすかな侍従の息がかかった。

一瞬間、——その一瞬間が過ぎてしまえば、彼等は必ず愛欲の嵐（あらし）に、雨の音も、空（そら）焚（だ）きの匂も、本院の大臣（おとど）も、女の童も忘却してしまったに相違ない。しかしこの際（きわ）どい刹那（せつな）に、侍従は半ば身を起すと、平中の顔に顔を寄せながら、恥しそうな声を出した。

「お待ちなさいまし。まだあちらの障子には、懸け金が下してございませんから、あれをかけて参ります」

平中は唯頷いた。侍従は二人の褥の上に、匂の好い暖みを残したまま、そっと其処を立って行った。

「春雨、侍従、弥陀如来、雨宿り、雨だれ、侍従、侍従、……」

平中はちゃんと眼を開いたなり、彼自身にも判然しない、いろいろな事を考えている。すると向うのくら闇に、かちりと懸け金を下す音がした。

「雨竜、香炉、雨夜のしなさだめ、ぬば玉の闇のうつつはさだかなる夢にいくらもまさらざりけり、――夢にだに、――どうしたのだろう？　懸け金はもう下りたと思ったが、――」

平中は頭を擡げて見た。が、あたりにはさっきの通り、空焚きの匂が漂った、床しい闇があるばかりである。侍従は何処へ行ったものか、衣ずれの音も聞えて来ない。

「まさか、――いや、事によると、――」

平中は褥を這い出すと、又元のように手探りをしながら、向うの障子へ辿りついた。すると障子には部屋の外から、厳重に懸け金が下してある。その上耳を澄ませて見ても、足音一つさせるものはない。局局は大雨の中に、いずれもひっそりと寝静まって

「平中、平中、お前はもう天が下の色好みでも何でもない。——」

平中は障子に寄りかかったまま、失心したように呟いた。

「お前の容色も劣えた。お前の才も元のようじゃない。お前は範実や義輔よりも、見下げ果てた意気地なしだ。……」

　　　四　好色問答

これは平中の二人の友達——義輔と範実との間に交換された、或無駄話の一節である。

義輔「あの侍従と云う女には、さすがの平中もかなわないそうだね」

範実「そう云う噂だね」

義輔「あいつには好い見せしめだよ。あいつは女御更衣でなければ、どんな女にでも手を出す男だ。ちっとは懲らしてやる方が好い」

範実「へええ、君も孔子の御弟子か？」

義輔「孔子の教なぞは知らないがね。どの位女が平中の為に、泣かされたか位は知っているのだ。もう一言次手につけ加えれば、どの位苦しんだ夫があるか、どの位

腹を立てた親があるか、どの位怨んだ家来があるか、それもまんざら知らないじゃない。そう云う迷惑をかける男は当然鼓を鳴らして責むべき者だ。君はそう考えないかね？」

範実「そうばかりも行かないからね。成程平中一人の為に、世間は迷惑しているかも知れない。しかしその罪は平中一人が、負うべきものでもなかろうじゃないか？」

義輔「じゃ又外は誰が負うのだね？」

範実「それは女に負わせるのさ」

義輔「女に負わせるのは可哀そうだよ」

範実「平中に負わせるのも可哀そうじゃないか？」

義輔「しかし平中が口説いたのだからな」

範実「男は戦場に太刀打ちをするが、女は寝首しか搔かないのだ。人殺しの罪は変るものか」

義輔「妙に平中の肩を持つな。だがこれだけは確かだろう？　我我は世間を苦しませないが、平中は世間を苦しませている」

範実「それもどうだかわからないね。一体我我人間は、如何なる因果か知らないが、

義輔「冗談じゃないぜ。平中が天才と一しょになるなら、この池の鯉も竜になるだろう」

義輔「平中は確かに天才だよ。あの男の顔に気をつけ給え。あの男の声を聞き給え。あの男の文を読んで見給え。もし君が女だったら、あの男と一晩逢って見給え。あの男は空海上人だとか小野道風だとかと同じように、母の胎内を離れた時から、非凡な能力を授かって来たのだ。あれが天才でないと云えば、天下に天才は一人もいない。その点では我我二人の如きも、到底平中の敵じゃないよ」

義輔「しかしだね。しかし天才は君の云うように、罪ばかり作ってはいないじゃないか？　たとえば道風の書を見れば、微妙な筆力に動かされるとか、空海上人の誦経を聞けば、──」

範実「僕は何も天才は、罪ばかり作ると云いはしない。罪も作ると云っているのだ」

義輔「じゃ平中とは違うじゃないか？　あいつの作るのは罪ばかりだぜ」

範実「それは我我にはわからない筈だ。仮名も碌に書けないものには、道風の書もつ

当の資格が入るさ」

義輔「それは君の云う通りだがね、平中尊者の功徳なぞは、——」

範実「平中の場合も同じじゃないか？ ああ云う好色の天才の功徳は、女だけが知っている筈だ。君はさっきどの位女が平中の為に泣かされたかと云ったが、僕は反対にこう云いたいね。どの位女が平中の為に、無上の歓喜を味わったか、どの位女が平中の為に、しみじみ生き甲斐（がい）を感じたか、どの位女が平中の為に、犠牲の尊さを教えられたか、どの位女が平中の為に、——」

義輔「いや、もうその位で沢山だよ。君のように理窟（りくつ）をつければ、案山子（かかし）も鎧武者（よろいむしゃ）になってしまう」

範実「君のように嫉妬（しっと）深いと、鎧武者も案山子と思ってしまうぜ」

義輔「嫉妬深い？ へええ、これは意外だね」

範実「君は平中を責める程、淫奔（いんぽん）な女を責めないじゃないか？ それはお互に男だから、何時（いつ）か嫉妬が加わっても、肚（はら）の底では責めていまい。我我はみんな多少にしろ、もし平中になれるものなら、平中になって見たのだ。

義輔「じゃ君も平中になりたいかね？」

範実「僕か？　僕はあまりなりたくない。平中は女が一人出来ると、忽ちその女に飽きてしまう。そうして誰か外の女に、可笑しい程夢中になってしまう。あれは平中の心の中には、何時も巫山の神女のような、人倫を絶した美人の姿が、髣髴と浮んでいるからだよ。平中は何時も世間の女に、そう云う美しさを見ようとしている。実際惚れている時には、見る事が出来たと思っているのだ。が、勿論二三度逢えば、そう云う蜃気楼は壊れてしまう。その為にあいつは女から女へ、転転と憂き身をやつしに行くのだ。しかも末法の世の中に、そんな美人のいる筈はないから、結局平中の一生は、不幸に終るより仕方がない。その点では君や僕の方が、遥かに仕合せだと云うものさ。しかし平中の不幸なのは、云わば天才なればこそだね。あれは平中一人じゃない。空海上人や小野の道風も、きっとあいつと似ていたろう。とにかく仕合しあわせになる為には、御同様凡人が一番だよ……」

五　まりも美しとなげく男

　平中は独り寂しそうに、本院の侍従の局に近い、人気のない廊下に佇んでいる。その廊下の欄にさした、油のような日の色を見ても、又今日は暑さが加わるらしい。が、庇の外の空には、簇簇と緑を抽いた松が、静かに涼しさを守っている。
「侍従はおれを相手にしない。おれももう侍従は思い切った。──」
　平中は蒼白い顔をしたまま、ぼんやりこんな事を思っている。
「しかしいくら思い切っても、侍従の姿は幻のように、必ず眼前に浮んで来る。おれは何時かの雨夜以来、唯この姿を忘れたいばかりに、どの位四方の神仏へ、祈願をこらしたかわからない。が、加茂の御社へ行けば、御鏡の中にありあり、清水の御寺の内陣にはいれば、観世音菩薩の御姿さえ、そのまま侍従に変ってしまう。もしこの姿が何時までも、おれの心を立ち去らなければ、おれはきっと焦れ死に、死んでしまうのに相違ない。──」
　平中は長い息をついた。
「だがその姿を忘れるには、──たった一つしか手段はない。それは何でもあの女の浅ましい所を見つける事だ。侍従もまさか天人ではなし、不浄もいろいろ蔵している

だろう。其処を一つ見つけさえすれば、丁度女房に化けた狐が、尾のある事を知られたように、侍従の幻も崩れてしまう。おれの命はその刹那に、やっとおれのものになるのだ。が、何処が浅ましいか、何処が不浄を蔵しているか、それは誰も教えてくれない。ああ、大慈大悲の観世音菩薩、どうか其処を御示し下さい、侍従が河原の女乞食じきと、実は少しも変らない証拠を。……」

平中はこう考えながら、ふと懶ものい視線を挙めた。

「おや、あすこへ来かかったのは、侍従の局の女の童わらわではないか？」

あの利巧そうな女の童は、撫子重なでしこがさね*の薄物の衵あこめ*に、色の濃い袴を引きながら、丁度こちらへ歩いて来る。それが赤紙の画扇えうぎふの陰に、何か筐はこを隠しているのは、きっと侍従のした糞まりを捨てに行く所に相違ない。その姿を一目見ると、突然平中の心の中には、或大胆な決心が、稲妻のように閃ひらめき渡った。

平中は眼の色を変えたなり、女の童の行く手に立ち塞ふさがった。そしてその筐をひったくるや否いなや、廊下の向うに一つ見える、人のいない部屋へ飛んで行った。不意を打たれた女の童は、勿論泣き声を出しながら、ばたばた彼を追いかけて来る。が、その部屋へ躍りこむと、平中は、遣戸を立て切るが早いか、手早く懸け金を下してしまった。

「そうだ。この中を見れば間違いない。百年の恋も一瞬の間に、煙よりもはかなく消えてしまう。……」

平中はわなわな震える手に、ふわりと筥の上へかけた、香染*の薄物を掲げて見た。筥は意外にも精巧を極めた、まだ真新しい蒔絵である。

「この中に侍従の糞がある。同時におれの命もある。……」

平中は其処に佇んだまま、じっと美しい筥を眺めた。局の外には忍び忍びに、女の童の泣き声が続いている。が、それは何時の間にか、重苦しい沈黙に呑まれてしまう。と思うと遣戸や障子も、だんだん霧のように消え始める。いや、もう今では昼か夜か、それさえ平中には判然しない。唯彼の眼の前には、時鳥を描いた筥が一つ、はっきり空中に浮き出している。

「おれの命の助かるのも、侍従と一生の別れをするのも、皆この筥に懸っている。この筥の蓋を取りさえすれば、──いや、それは考えものだぞ。侍従の筥を忘れてしまうが好いか、甲斐のない命を長らえるのが好いか、おれにはどちらとも返答出来ない。たとい焦がれ死をするにもせよ、この筥の蓋だけは取らずに置こうか？……」

平中は窶れた頬の上に、涙の痕を光らせながら、今更のように思い惑った。しかし少時沈吟した後、急に眼を輝かせると、今度はこう心の中に一生懸命の叫声を挙げた。

「平中！　平中！　お前は何と云う意気地なしだ？　あの雨夜を忘れたのか？　侍従は今もお前の恋を嘲笑っているかも知れないのだぞ。生きろ！　立派に生きて見ろ！　侍従の糞を見さえすれば、必お前は勝ち誇れるのだ。……」
　平中は殆気違いのように、とうとう筥の蓋を取った。筥には薄い香色の水が、たっぷり半分程はいった中に、これは濃い香色の物が、二つ三つ底へ沈んでいる。と思うと夢のように、丁子の匂が鼻を打った。これが侍従の糞であろうか？　いや、吉祥天女にしても、こんな糞はする筈がない。平中は眉をひそめながら、一番上に浮いていた、二寸程の物をつまみ上げた。そうして髭にも触れる位、何度も匂を嗅ぎ直して見た。匂は確かに紛れもない、飛び切りの沈の匂である。
「これはどうだ！　この水もやはり匂うようだが、——」
　平中は筥を傾けながら、そっと水を啜って見た。水も丁子を煮返した、上澄みの汁に相違ない。
「するとこいつも香木かな？」
　平中は今つまみ上げた、二寸程の物を嚙みしめて見た。すると歯にも透る位、苦味の交った甘さがある。その上彼の口の中には、忽ち橘の花よりも涼しい、微妙な匂が一ぱいになった。侍従は何処から推量したか、平中のたくみを破る為に、香細工の

糞をつくったのである。
「侍従！　お前は平中を殺したぞ！」
平中はこう呻きながら、ばたりと蒔絵の筥を落した。そうして其処の床の上へ、仏倒しに倒れてしまった。その半死の瞳の中には、紫摩金の円光にとりまかれたまま、嫣然*と彼にほほ笑みかけた侍従の姿を浮べながら。……
しかしその時の侍従の姿は、何時か髪も豊かになれば、顔も殆玉のように変っていた事は事実である。

俊(しゅん)

寛(かん)

俊寛云ひけるは……神明外になし。唯我等が一念なり。……唯仏法を修行して、今度生死を出で給ふべし。
　　　　　　　　　　　　　　　　　　　　　源平盛衰記
（俊寛）いとど思ひの深くなれば、かくぞ思ひつづけける。「見せばやな我を思はん友もがな磯のとまやの柴の庵を」
　　　　　　　　　　　　　　　　　　　　　　　　　同　上

一

　俊寛様の話ですか？　俊寛様の話位、世間に間違って伝えられた事は、まず外にはありますまい。いや、俊寛様の話ばかりではありません。このわたし、──有王自身の事さえ、飛でもない嘘が伝わっているのです。現にこの間も、或琵琶法師が語ったのを聞けば、俊寛様は御歎きの余り、岩に頭を打ちつけて、狂い死をなすってしまうし、わたしはその御屍骸を肩に、身を投げて死んでしまったなどと、云っているではありませんか？　又もう一人の琵琶法師は、俊寛様はあの島の女と、夫婦の談らいをなすった上、子供も大勢御出来になり、都にいらしった時よりも、楽しい生涯を

御送りになったとか、まことしやかに語っていました。前の琵琶法師の語った事が、跡方もない嘘だと云う事は、この有王が生きているので、おわかりになるかと思いますが、後の琵琶法師の語った事も、やはり好い加減の出たらめなのです。が、その嘘と云うものは、どれもこれも我は顔に、嘘ばかりついているものなのです。一体琵琶法師などと云うものは、どれもこれも我は顔に、嘘ばかりついているものなのです。あの笹葺（ささぶき）の小屋に、俊寛様が子供たちと、御戯れになる所を聞けば、思わず微笑も浮べましたし、又あの浪音（なみおと）の高い月夜に、狂い死をなさる所を聞けば、つい涙さえ落しました。たとい嘘とは云うものの、ああ云う琵琶法師の語った嘘は、きっと琥珀の中の虫のように、末代までも伝わるでしょう。して見ればそう云う嘘があるだけ、わたしでも今の内ありのままに、俊寛様の事を御話しないと——と、こうあなたは仰有（おっしゃ）るのですか？　琵琶法師の嘘は何時の間にか、ほんとうに変ってしまうかも知れない——と、こうあなたは仰有るのですか？　わたしがはるばる鬼界（きかい）が島（しま）へ、俊寛様を御尋ね申した、その時の事を御話しましょう。しかしわたしは琵琶法師成程それも御尤（もっと）もです。では丁度夜長を幸い、わたしがはるばる鬼界が島へ、俊寛様を御尋ね申した、その時の事を御話しましょう。しかしわたしは琵琶法師ほど、其程（それほど）話の上手にはとても話されません。唯わたしの話の取り柄は、この有王が目のあたりに見た、飾りのない真実と云う事だけです。ではどうか少時（しばらく）の間、御退屈でも御聞き下さい。

二

わたしが鬼界が島に渡ったのは、治承三年五月の末、或曇った午過ぎです。これは琵琶法師も語る事ですが、その日もかれこれ暮れかけた時分、わたしはやっと俊寛様に、めぐり遇う事が出来ました。しかもその場所は人気のない海べ、——唯灰色の浪ばかりが、砂の上に寄せては倒れる、如何にも寂しい海べだったのです。

俊寛様のその時の御姿は、——そうです。世間に伝わっているのには、「童かとすれば年老いてその貌にあらず、法師かと思へば又髪は空ざまに生ひ上りて白髪多し。頸細くして腹大きに脹れ、色黒うしてよろずの塵や藻屑のつきたれども打ち払はず*足手細し。人に似て人に非ず」と云うのですが、これも大抵は作り事です。殊に頸が細かったの、腹が脹れていたのと云うのは、地獄変の画からでも思いついたのでしょう。つまり鬼界が島と云う所から、餓鬼の形容を使ったのです。成程その時の俊寛様は、髪も延びて御出でになれば、色も日に焼けていらっしゃいましたが、その外は昔に変らない、——いや、変らないどころではありません。昔よりも一層丈夫そうな、頼もしい御姿だったのです。それが静かな潮風に、法衣の裾を吹かせながら、浪打際を独り御出でになる、——見れば御手には何と云うのか、笹の枝に貫いた、小さい魚

を下げていらっしゃいました。
「僧都の御房*！　よく御無事でいらっしゃいました。わたしです！　有王です！」
わたしは思わず駆け寄りながら、嬉しまぎれにこう叫びました。
「おお、有王か！」
俊寛様も驚いたように、わたしの顔を御覧になりました。が、もうわたしはその時には、御主人の膝を抱いたまま、嬉し泣きに泣いていたのです。
「よく来たな。有王！　おれはもう今生では、お前にも会えぬと思っていた」
俊寛様も少時の間は、涙ぐんでいらっしゃるようでしたが、やがてわたしを御抱き起しになると、
「泣くな。泣くな。せめては今日会っただけでも、仏菩薩の御慈悲と思うが好い」と、親のように慰めて下さいました。
「はい、もう泣きは致しません。御房は、――御房の御住居は、この界隈でございますか？」
「住居か？　住居はあの山の陰じゃ」
俊寛様は魚を下げた御手に、間近い磯山を御指しになりました。
「住居と云っても、檜肌葺ではないぞ」

「はい、それは承知しております。何しろこんな離れ島でございますから、——」

わたしはそう云いかけたなり、又涙に咽びそうにしました。すると御主人は昔のように、優しい微笑を御見せになりながら、

「しかし居心は悪くない住居じゃ。寝所もお前には不自由はさせぬ。では一しょに来て見るが好い」と、気軽に案内をして下さいました。

少時の後わたしたちは、浪ばかり騒がしい海べから、寂しい漁村へはいりました。薄白い路の左右には、梢から垂れた榕樹の枝に、肉の厚い葉が光っている、——その木の間に点々と、笹葺きの屋根を並べたのが、この島の土人の家なのです。が、そう云う家の中に、赤々と竈の火が見えたり、珍らしい人影が見えたりすると、村里へ来たと云う、懐しい気もちだけはして来ました。

御主人は時々振り返りながら、この家にいるのは琉球人だとか、あの檻には豕が飼ってあるとか、いろいろ教えて下さいました。しかしそれよりも嬉しかったのは、烏帽子さえかぶらない土人の男女が、俊寛様の御姿を見ると、必頭を下げた事ではありません殊に一度なぞは或家の前に、鶏を追っていた女の児さえ、御時宜をしたではありませんか？　わたしは勿論嬉しいと同時に、不思議にも思ったものですから、何か訳のある事かと、そっと御主人に伺って見ました。

「成経様*や康頼様*が、御話しになったところでは、この島の土人も鬼のように、情を知らぬ事かと存じましたが、――」

「成程、都にいるものには、そう思われるに相違あるまい。が、流人とは云うもの、おれたちは皆都人じゃ。辺土の民は何時の世にも、都人と見れば頭を下げる。業平の朝臣*、実方の朝臣、――皆大同小異ではないか？ ああ云う都人もおれのように、東や陸奥へ下った事は、思いの外楽しい旅だったかも知れぬ」

「しかし実方の朝臣などは、御隠れになった後でさえ、都恋しさの一念から、台盤所の雀になったと、云い伝えておるではありませんか？」

「そう云う噂を立てたものは、お前と同じ都人じゃ。鬼界が島の土人と云えば、鬼のように思う都人じゃ。して見ればこれも当てにはならぬ」

その時又一人御主人に、頭を下げた女がいました。これは丁度榕樹の陰に、幼な児を抱いていたのですが、その葉に後を遮られたせいか、紅染めの単衣を着た姿が、夕明りに浮んで見えたものです。すると御主人はこの女に、優しい会釈を返されてから、

「あれが少将の北の方じゃぞ」と、小声に教えて下さいました。

わたしはさすがに驚きました。

――成経様はあの女と、夫婦になっていらっしったのです

「北の方と申しますと、

俊寛様は薄笑いと一しょに、ちょいと頷いて御見せになりました。
「抱いていた児も少将の胤じゃよ」
「成程、そう伺って見れば、こう云う辺土にも似合わない、美しい顔をしておりました」
「何、美しい顔をしていた？　美しい顔とはどう云う顔じゃ？」
「まあ、眼の細い、頬のふくらんだ、鼻の余り高くない、おっとりした顔かと思いますが、——」
「それもやはり都の好みじゃ。この島ではまず眼の大きい、頬の何処かほっそりした、鼻も人よりは心もち高い、きりりとした顔が尊まれる。その為に今の女なぞも、此処では誰も美しいとは云わぬ」
　わたしは思わず笑い出しました。
「やはり土人の悲しさには、美しいと云う事を知らないのですね。そうするとこの島の土人たちは、都の上﨟を見せてやっても、皆醜いと笑いますかしら？」
「いや、美しいと云う事は、この島の土人も知らぬではない。唯好みが違っているのじゃ。しかし好みと云うものも、万代不変とは請合われぬ。その証拠には御寺御寺の、

御仏（みほとけ）の御姿（みすがた）を拝むが好い。三界六道の教主、十方最勝、光明無量、三学無碍、億々衆生引導の能化（のうげ）、南無大慈大悲釈迦牟尼如来も、三十二相八十種好の御姿は、時代毎にいろいろ御変りになった。御仏でももしそうとすれば、如何かこれ一千年か、或は又一千年か、とにかくその時代毎にやはり違う筈じゃ。都でもこの後五百年か、或は又一千年か、とにかくその好みの変る時には、この島の土人の女どころか、南蛮北狄の女のように、凄まじい顔がはやるかも知れぬ」

「まさかそんな事もありますまい。我国ぶりは何時の世にも、我国ぶりでいる筈ですから」

「ところがその我国ぶりも、時と場合では当てにならぬ。たとえば当世の上﨟（じょうろう）の顔の好みが、唐土（もろこし）になずんでいる証拠ではないか？すると人皇何代かの後には、碧眼（へきがん）の胡人（えびす）の女の顔にも、うつつをぬかす時がないとは云われぬ」

わたしは自然とほほ笑みました。御主人は以前もこう云う風に、わたしたちへ御教訓なすったのです。「変らぬのは御姿ばかりではない。御心もやはり昔のままだ」——そう思うと何だかわたしの耳には、遠い都の鐘の声も、通って来るような気がしました。が、御主人は榕樹の陰に、ゆっくり御み足を運びながら、こんな事もまた仰

有るのです。

「有王。おれはこの島に渡って以来、何が嬉しかったか知っているか？　それはあのやかましい女房のやつに、毎日小言を云われずとも、暮されるようになった事じゃよ」

　　　三

　その夜わたしは結い燈台*の光に、御主人の御飯を頂きました。本来ならばそんな事は、恐れ多い次第なのですが、御主人の仰せもありましたし、御給仕にはこの頃御召使いの、兎唇の童も居りましたから、御招伴に預った訳なのです。御部屋は竹椽をめぐらせた、椿の油を燃やした光も、さすがに其処までは届きません。前栽*の竹むらがあるのですが、僧庵とも云いたい拵えです。——椽先に垂れた簾の外には、御部屋の中には皮籠ばかりか、厨子もあれば机もある。皮籠は都を御立ちの時から、御持ちになっていたのですが、厨子や机はこの島の土人が、不束ながらも御拵え申した、琉球、赤木とかの細工だそうです。その厨子の上には経文と一しょに、阿弥陀如来の尊像が一体、端然と金色に輝いていました。これは確か康頼様の、都返りの御形見だとか、伺ったように思っています。

俊寛様は円座の上に、楽々と御坐りなすったまま、いろいろ御馳走を下さいました。勿論この島の事ですから、味が好いとは思われません。が、その御馳走の珍しい事は、汁、鱠、酢つけ、煮つけ、果物、——名さえ確かに知っているのは、殆一つもなかった位です。御主人はわたしが呆れたように、箸もつけないのを御覧になると、上機嫌に御笑いなさりながら、こう御勧め下さいました。

「どうじゃ、その汁の味は？ それはこの島の名産の、臭梧桐と云う物じゃぞ。こちらの魚も食うて見るが好い。これも名産の永良部鰻じゃ。あの皿にある白地鳥、——あれも都などでは見た事もあるまい。白地鳥と云う物は、背の青い、腹の白い、形は鸛にそっくりの鳥じゃ。この島の土人はあの肉を食うと、湿気を払うとか称えている。その芋も存外味は好いぞ。名前か？名前は琉芋じゃ。梶王と云うのはさっき申した、兎唇の童の名前なのです。毎日その芋を食うている」

梶王などは飯の代りに、粥ばかり啜っていさえすれば、得脱するように考えるのは、沙門にあり勝ちの不量見じゃ。世尊さえ成道される時には、牧牛の女難陀婆羅の、乳糜の供養を受けられたではないか？ もしあの時空腹のまま、畢波羅樹の下に坐っていられたら、第六天の魔王波旬は、三人の魔女なぞを遣すよりも、六牙象

王の味噌漬けだの、天竺の珍味を降らせたかも知らぬ。尤も食足れば淫を思うのは、我々凡夫の慣いじゃから、乳糜を食われた世尊の前へ、三人の魔女を送ったのは、波旬も天っ晴見上げた才子じゃ。が、魔王の浅ましさには、その乳糜を献じたものが、女人じゃと云う事を忘れておった。に乳糜を献じ奉る、──世尊が無上の道へ入られるには、雪山六年の苦行よりも、これが遥かに大事だったのじゃ。『取彼乳糜 如意飽食、悉皆浄尽』──仏本行経七巻の中にも、あれ程難有い所は沢山あるまい。『爾時菩薩 食糜已訖従座而起。安庠漸々向菩提樹』どうじゃ。『安庠漸々向菩提樹』女人を見、乳糜に飽かれた、端厳微妙の世尊の御姿が、目のあたりに拝まれるようではないか？」

俊寛様は楽しそうに、晩の御飯をおしまいになると、今度は涼しい竹椽の近くへ、円座を御移しになりながら、

「では空腹が直ったら、都の便りでも聞かせて貰おう」とわたしの話を御促しになりました。

わたしは思わず眼を伏せました。兼ねて覚悟はしていたものの、いざ申し上げるとなって見ると、今更のように心が怯れたのです。しかし御主人は無頓着に、芭蕉の葉の扇を御手にしたまま、もう一度御催促なさいました。

「どうじゃ、女房は相不変小言ばかり云っているか？」
わたしはやむを得ず俯向いたなり、御留守の間に出来した、いろいろの大変を御話しました。御主人が御捕われなすった後、御近習は皆逃げ去った事、京極の御屋形や鹿ケ谷の御山荘も、平家の侍に奪われなすった事、北の方は去年の冬、御隠れになってしまった事、若君も重い疱瘡の為に、その跡を御追いなすった事、今ではあなたの御家族の中でも、たった一人姫君だけが、奈良の伯母御前の御住居に、人目を忍んでいらっしゃる事、——そう云う御話をしている内に、わたしの眼には何時の間にか、燈台の火影が曇って来ました。軒先の簾、厨子の上の御仏、——それももうどうしたかわかりません。わたしはとうとう御話半ばに、その場へ泣き沈んでしまいました。御主人は始終黙然と、御耳を傾けていらっしゃったようです。が、姫君の事を御聞きになると、突然さも御心配そうに、法衣の膝を御寄せになりました。

「姫はどうじゃ？　伯母御前にはようなついているか？」
「はい。御睦しいように存じました」
わたしは泣く泣く俊寛様へ、姫君の御消息をさし上げました。それはこの島へ渡るものには、門司や赤間が関を船出する時、やかましい詮議があるそうですから、髻に隠して来た御文なのです。御主人は早速燈台の光に、御消息をおひろげなさりながら、

所々小声に御読みになりました。
「……世の中かきくらして晴るる心地なく侍り。……さても三人一つ島に流されけるに、……などや御身一人残り止まり給ふらんと、……都には草のゆかりも枯れはてて、……当時は奈良の伯母御前の御許に侍り。……おろそかなるべき事にはあらねど、かすかなる住居推し量り給へ。……さてもこの三ことせまで、如何に御心強く、有とも無とも承はらざるらん。……とくとく御上り候へ。恋しとも恋し。ゆかしともゆかし。……あなかしこ、あなかしこ。……」
俊寛様は御文を御置きになると、じっと腕組みをなすったまま、大きい息をおつきになりました。
「姫はもう十二になった筈じゃな。——おれも都には未練はないが、姫にだけは一目会いたい」
わたしは御心中を思いやりながら、唯涙ばかり拭っていました。
「しかし会えぬものならば、——泣くな。有王。いや、泣きたければ泣いても好い。しかしこの娑婆世界には、一々泣いては泣き尽せぬ程、悲しい事が沢山あるぞ」
御主人は後の黒木の柱に、ゆっくり背中を御寄せになってから、寂しそうに御微笑なさいました。

「女房も死ぬ。若も死ぬ。姫には一生会えぬかも知れぬ。屋形や山荘もおれの物ではない。おれは独り離れ島に老の来るのを待っている。——これがおれの今のさまじゃ。が、この苦艱を受けているのは、何もおれ一人に限った事ではない。おれ一人衆苦の大海に、没在していると考えるのは、仏弟子にも似合わぬ増長慢じゃ。尚非世俗白衣所宜*慢、尚非世俗白衣所宜*——艱難の多いのに誇る心も、やはり邪業には違いあるまい。『増長驕慢*、尚非世俗白衣所宜*』——その心さえ除いてしまえば、この粟散辺土*の中にも、おれ程の苦を受けているものは、恒河沙*の数より多いかも知れぬ。いや、人界に生れ出たものは、たといこの島に流されずとも、皆おれと同じように、孤独の歎を洩らしているのじゃ。村上の御門第七の王子、二品中務親王*六代の後胤、仁和寺の法印寛雅が子、京極の源大納言雅俊卿の孫に生れたのは、こう云う俊寛一人じゃが、天が下には千の俊寛、万の俊寛、百億の俊寛が流されている。——」

俊寛様はこう仰有ると、忽ち又御眼の何処かに、陽気な御気色が閃きました。

「一条二条の大路の辻に、盲人が一人さまようているのは、世にも憐れに見えるかも知れぬ。が、広い洛中洛外、無量無数の盲人どもに、充ち満ちた所を眺めたら、——お前はどうすると思う？ おれならばまっ先にふき出してしまうぞ。おれの島流しも同じ事じゃ。十方に遍満した俊寛どもが、皆唯一人流されたように、泣きつ喚め

きつしていると思えば、涙の中にも笑わずにはいられぬ。有王。三界一心と知った上は、何よりもまず笑う事を学べ。笑う事を学ぶ為には、まず増長慢を捨てねばならぬ。世尊の御出世は我々衆生に、笑う事を教えに来られたのじゃ。大般涅槃の御時にさえ、摩訶伽葉は笑ったではないか?」

その時はわたしも何時の間にか、頬の上の涙が乾いていました。すると御主人は簾越しに、遠い星空を御覧になりながら、

「お前が都へ帰ったら、姫にも歎きをするよりは、笑う事を学べと云ってくれい」と、何事もないように仰有るのです。

「わたしは都へは帰りません」

もう一度わたしの眼の中には、新たに涙が浮かんで来ました。今度はそう云う御言葉を、御恨みに思った涙なのです。

「わたしは都にいた時の通り、御側勤めをするつもりです。年とった一人の母さえ捨て、兄弟にも仔細は話さずに、はるばるこの島へ渡って来たのは、その為ばかりではありませんか? わたしはそう仰有られる程、命が惜いように見えるでしょうか? わたしはそれ程恩義を知らぬ、人非人のように見えるでしょうか? わたしはそれ程、

「それ程愚かとは思わなかった」

御主人は又前のように、にこにこ御笑いになりました。

「お前がこの島に止まっていれば、姫に安否を知らせるのは、誰が外に勤めるのじゃ? おれは一人でも不自由はせぬ。まして梶王と云う童がいる。——と云ってもまさか妬みなぞはすまいな? あれは便りのないみなし児じゃ。幼い島流しの俊寛じゃ。お前は便船のあり次第、早速都へ帰るが好い。その代り今夜は姫への土産に、おれの島住いがどんなだったか、それをお前に話して聞かそう。又お前は泣いているな? おれの話を聞いてくれい。おれは独り笑いながら、勝手に話を続けるだけじゃ」

俊寛様は悠々と、芭蕉扇を御使いなさりながら、島住居の御話をなさり始めました。軒先に垂れた簾の上には、ともし火の光を尋ねて来たのでしょう、かすかに虫の這う音が聞えています。わたしは頭を垂れたまま、じっと御話に伺い入りました。

　　　四

「おれがこの島へ流されたのは、治承元年七月の始じゃ。おれは一度も成親の卿と、天下なぞを計った覚えはない。それが西八条へ籠められた後、いきなり、この島へ流

されたのじゃから、始はおれも忌々しさの余り、飯を食う気さえ起らなかった」
「しかし都の噂では、――」
わたしは御言葉を遮りました。
「僧都の御房も宗人の一人に、おなりになったとか云う事ですが、――」
「それはそう思うに違いない。成親の卿さえ宗人の一人に、おれを数えていたそうじゃから、――しかしおれは宗人ではない。事によると成親の卿が好いか、成親の卿の天下が好いか、それさえおれにはわからぬ程じゃ。浄海入道の天下が好いか、それさえおれにはわからぬ程じゃ。天下の政治には不向きかも知れぬ。おれは唯平家の天下は、浄海入道より若かぬと云っただけじゃ。源平藤橘、どの天下も結局あるのはないに若かぬ。この島の土人を見るが好い。平家の代でも源氏の代でも、同じように子を産んでいる。天下の役人は役人がいぬと、天下も亡ぶように思っているが、同じように芋を食うては、同じそれは役人のうぬ惚れだけじゃ」
「が僧都の御房の天下になれば、何御不足にもありますまい」
俊寛様の御眼の中には、わたしの微笑が映ったように、やはり御微笑が浮びました。
「成親の卿の天下同様、平家の天下より悪いかも知れぬ。何故と云えば俊寛は、浄海入道より物わかりが好い。物わかりが好ければ政治なぞには、夢中になれぬ筈でははな

いか？　理非曲直も弁えずに、途方もない夢ばかり見続けている、——其処が高平太＊の強い所じゃ。小松の内府なぞは利巧なだけに、天下を料理するとなれば、浄海入道より数段下じゃ。内府も始終病身じゃと云うが、平家一門の為を計れば、一日も早く死んだが好い。その上又おれにしても、食色の二性を離れぬ事は、浄海入道と似たようなものじゃ。そう云う凡夫の取った天下は、やはり衆生の為にはならぬ。所詮人界が浄土になるには、御仏の御天下を待つ外はあるまい。——おれはそう思っていたから、天下を計る心なぞは、微塵も貯えてはいなかった」

「しかしあの頃は毎夜のように、中御門高倉の大納言様＊へ、御通いなすったではありませんか？」

わたしは御不用意を責めるように、俊寛様の御顔を眺めました。ほんとうに当時の御主人は、北の方の御心配も御存知ないのか、夜は京極の御屋形にも、滅多に御休みではなかったのです。しかし御主人は相不変、澄ました御顔をなすったまま、芭蕉扇を使っていらっしゃいました。

「其処が凡夫の浅ましさじゃ。丁度あの頃あの屋形には、鶴の前と云う上童＊があった。おれの一生の不仕合わせこれが如何なる天魔の化身か、おれを捉えて離さぬのじゃ。女房に横面を打たれたは、皆あの女がいたばかりに、降って湧いたと云うても好い。

のも、鹿ケ谷の山荘を仮したのも、しまいにこの島へ流されたのも、喜んでくれい。おれは鶴の前に夢中になっても、謀叛の宗人にはならなかった。——しかし有王、に愛楽を生じたためしは、古今の聖者にも稀ではない。大幻術の摩登伽女には、阿難尊者さえ迷わせられた。竜樹菩薩も在俗の時には、王宮の美人を偸む為に、隠形の術を修せられたそうじゃ。しかし謀叛人になった聖者は、天竺震旦本朝を問わず、唯の一人もあった事は聞かぬ。これは聞かぬのも不思議はない。女人に愛楽を生ずるのは、五根の欲を放つだけの事じゃ。が、謀叛を企てるには、貪瞋癡の三毒を具えねばならぬ。聖者は五欲を放たれても、三毒の害は受けられぬのじゃ。して見ればおれの知慧の光も、五欲の為に曇ったと云え、消えはしなかったと云わねばなるまい。——が、それはともかくも、おれはこの島へ渡った当座、毎日忌々しい思いをしていた」

「それはさぞかし御難儀だったでしょう。御食事は勿論、御召し物さえ、御不自由勝ちに違いありませんから」

「いや、衣食は春秋二度ずつ、肥前の国鹿瀬の荘から、少将のもとへ送って来た。鹿瀬の荘は少将の舅、平の教盛の所領の地じゃ。その上おれは一年程たつと、この島の風土にも慣れてしまった。が、忌々しさを忘れるには、一しょに流された相手が悪い。丹波の少将成経などは、ふさいでいなければ居睡りをしていた」

「成経様は御年若でもあり、父君の御不運を御思いになっては、御歎きなさるのも御尤もです」

「何、少将はおれと同様、天下はどうなってもかまわぬ男じゃ。あの男は琵琶でも掻き鳴らしたり、桜の花でも眺めたり、上﨟に恋歌でもつけていれば、それが極楽じゃと思うている。じゃからおれに会いさえすれば、謀叛人の父ばかり怨んでいた」

「しかし康頼様は僧都の御房と、御親しいように伺いましたが」

「ところがこれが難物なのじゃ。康頼は何でも願さえかければ、天神地神諸仏菩薩、悉くあの男の云うなり次第に、利益を垂れると思うている。つまり康頼の考えでは、神仏も商人と同じなのじゃ。唯神仏は商人のように、金銭では冥護を御売りにならぬ。じゃから祭文を読む。香火を供える。伐って何にするかと思えば、姿の好い松が沢山あった が、皆康頼に伐られてしもうた。この後の山なぞには、千本の卒塔婆を拵えた上、一々それに歌を書いては、海の中へ拋りこむのじゃ。おれはまだ康頼位、現金な男は見た事がない」

「それでも莫迦にはなりません。都の噂ではその卒塔婆が、熊野にも一本、厳島にも一本、流れ寄ったとか申していました」

「千本の中には一本や二本、日本の土地へも着きそうなものじゃ。ほんとうに冥護を

信ずるならば、たった一本流すが好い。その上康頼は難有そうに、千本の卒塔婆を流す時でも、始終風向きを考えていたぞ。何時かおれはあの男が、海へ卒塔婆を流す時に、帰命頂礼 熊野三所の権現、分けては日吉山王、王子の眷属、総じては上は梵天帝釈、下は堅牢地神、殊には内海外海竜神八部、応護の眦を垂れさせ給えと唱えたから、その跡へ並びに西風大明神、黒潮権現も守らせ給え、謹上再拝とつけてやった」

「悪い御冗談をなさいます」

わたしもさすがに笑い出しました。

「するとと康頼は怒ったぞ。ああ云う大瞋恚を起すようでは、現世利益はともかくも、後生往生は覚束ないものじゃ。——が、その内に困まった事には、少将も何時か康頼と一しょに、神信心を始めたではないか？　それも熊野とか王子とか、由緒のある神を拝むのではない。この島の火山には鎮護の為か、岩殿と云う祠がある。その岩殿へ詣でるのじゃ。——火山と云えば思い出したが、お前はまだ火山を見た事はあるまい？」

「はい、唯さっき榕樹の梢に、薄赤い煙のたなびいた、禿げ山の姿を眺めただけです」

「では明日でもおれと一しょに、頂へ登って見るが好い。頂へ行けばこの島ばかりか、

大海の景色は手にとるようじゃ。岩殿の祠も途中にある。——その岩殿へ詣でるのに、康頼はおれにも行けと云うたが、おれは容易に行こうとは云わぬ」
「都では僧都の御房一人、そう云う神詣でもなさらない為に、御残されになったと申しております」
「いや、それはそうかも知れぬ」
俊寛様は真面目そうに、ちょいと御首を御振りになりました。
「もし岩殿に霊があれば、俊寛一人を残したまま、二人の都返りを取り持つ位は、何とも思わぬ禍津神じゃ。お前はさっきおれが教えた、少将の女房を覚えているか？ あの女もやはり岩殿へ、少将がこの島を去らぬように、毎日毎夜詣でたものじゃ。ところがその願は少しも通らぬ。すると岩殿と云う神は、天魔にも増した横道者じゃ。天魔にはこの世尊御出世の時から、諸悪を行うと云う戒行がある。もし岩殿の神の代りに、天魔があの祠にいるとすれば、少将は都へ帰る途中、船から落ちるか、熱病になるか、とにかくに死んだのに相違ない。これが少将もあの女も、同時に破滅させる唯一の途じゃ。が、岩殿は人間のように、諸善ばかりも行わねば、諸悪ばかりも行わぬらしい。尤もこれは岩殿には限らぬ。奥州名取郡笠島の道祖は、都の加茂河原の西、一条の北の辺に住ませられる、出雲路の道祖の御娘じゃ。が、この神は父の神が、まだ聟の神

も探されぬ内に、若い都の商人と妹脊の契を結んだ上、さっさと奥へ落ちて来られた。こうなっては凡夫も同じではないか？　あの実方の中将は、この神の前を通られる時、下馬も拝もされなかったばかりに、とうとう蹴殺されておしまいなすった。こう云う人間に近い神は、五塵を離れていぬのじゃから、何を仕出かすか油断はならぬ。この義理ではない。──が、そんな事は話の枝葉じゃ。康頼と少将とは一心に、岩殿詣でを続け出した。それも岩殿を熊野になぞらえ、あの浦は和歌浦、この坂は蕪坂なぞと、一々名をつけてやるのじゃから、まず童たちが鹿狩と云っては、小犬を追いまわすのも同じ事じゃ。唯音無の滝だけは本物よりもずっと大きかった」

「それでも都の噂では、奇瑞があったとか申していますが」

「その奇瑞の一つはこうじゃ。結願の当日岩殿の前に、二人が法施を手向けていると、山風が木々を煽った拍子に、椿の葉が二枚こぼれて来た。その椿の葉には二枚とも、虫の食った跡が残っている。それが一つには帰雁とあり、一つには二とあったそうじゃ。──合せて読めば帰雁二となる。こんな事が嬉しいのか、一つにもその葉を見せなぞした。おれは余り可笑しかったから、次の日山へ行った帰りに、椿の葉を何枚も拾っ

て来てやった。その葉の虫食いを続けて読めば、帰雁二ドころの騒ぎではない。『明日帰洛』と云うのもある。『清盛横死』と云うのもある。『康頼往生』と云うのもある。おれはさぞかし康頼も、喜ぶじゃろうと思うたが、――」

「それは御立腹なすったでしょう」

「康頼は怒るのに妙を得ている。舞も洛中に並びないが、腹を立てるのは、一段と巧者じゃ。あの男は謀叛なぞに加わったのも、嗔恚に牽かれたのに相違ない。その嗔恚の源はと云えば、やはり増長慢のなせる業じゃ。平家は高平太以下皆悪人、こちらは大納言以下皆善人、――康頼はこう思うている。そのうぬ惚れが為にならぬ。又さっきも云う通り、我々凡夫は誰も彼も、皆高平太と同様なのじゃ。が、康頼の腹を立てるのが好いか、少将のため息をするのが好いかはおれにもわからぬ」

「成経様御一人だけは、御妻子もあったそうですから、御紛れになる事もありましたろうに」

「ところが始終蒼い顔をしては、つまらぬ愚痴ばかりこぼしていた。たとえば谷間の椿を見ると、この島には桜も咲かないと云う。火山の頂の煙を見ると、この島には青い山もないと云う。何でも其処にある物は云わずに、ない物だけ並べ立てているのじ

ゃ。一度なぞはおれと一しょに、磯山へ豪吾を摘みに行ったら、ああ、わたしはどうすれば好いのか、此処には加茂川の流れもないと云うた。おれがあの時吹き出さなかったのは、我立つ杣の地主権現、日吉の御冥護に違いない。が、おれは莫迦々々しかったから、此処には福原の獄もない、平相国入道浄海もいない、難有い難有いとこう云うた」
「そんな事を仰有っては、いくら少将でも御腹立ちになりましたろう」
「いや、怒られれば本望じゃ。が、少将はおれの顔を見ると、悲しそうに首を振りながら、あなたには何もおわかりにならない、あなたは仕合せな方ですと云うた。ああ云う返答は、怒られるよりも難儀じゃ。おれは、——実はおれもその時だけは、妙に気が沈んでしもうた。もし少将の云うように、何もわからぬおれじゃったら、気も沈まずにすんだかも知れぬ。しかしおれにはわかっているのじゃ。おれも一時は少将のように、眼の中の涙を誇ったことがある。その涙に透かして見れば、あの死んだ女房も、どの位美しい女に見えたか、——おれはそんな事を考えると、急に少将が気の毒になった。が、気の毒になって見ても、可笑しいものは可笑しいではないか？　そこでおれは笑いながら、言葉だけは真面目に慰めようとした。おれが少将に怒られたのは、跡にも先にもあの時だけじゃ。少将はおれが慰めてやると、急に恐しい顔をしながら、

嘘をおつきなさい。わたしはあなたに慰められるよりも、笑われる方が本望ですと云うた。その途端に、──妙ではないか？　とうとうおれは吹き出してしもうた」
「少将はどうなさいました？」
「四五日の間はおれに遇うても、挨拶さえ碌にしなかった。が、その後又遇うたら、悲しそうに首を振っては、ああ、都へ返りたい、此処には牛車も通らないと云う。あの男こそおれより仕合せものじゃ。──が、少将や康頼でも、二人に都へ帰られた当座、おれは又二年ぶりに、毎日居らぬよりは、いた方が好い。
なかった」
「都の噂ではご寂しいどころか、御歎き死にもなさり兼ねない、御容子だったとか申していました」
わたしは出来るだけ細々と、その御噂を御話しました。琵琶法師の語る言葉を借れば、「天に仰ぎ地に俯し、悲しみ給へどかひぞなき。……猶も船の纜に取りつき、丈の及ぶ程は、引かれておはしけるが、丈も及ばぬ程にもなりし腰になり脇になり、又空しき渚に泳ぎ返り、……是具して行けや、我乗せて行けやとて、をめき叫び給へども、漕ぎ行く船のならひにて、跡は白浪ばかりなり」と云う、御狂乱の一段を御話したのです。俊寛様は御珍しそうに、その話を聞いていらっしゃいましたが、

まだ船の見える間は、手招ぎをなすっていらしったと云う、今では名高い御話をすると、
「それは満更嘘ではない。何度もおれは手招ぎをした」と、素直に御頷きなさいました。
「では都の噂通り、あの松浦の佐用姫のように、御別れを御惜しみなすったのですか？」
「二年の間同じ島に、話し合うた友だちと別れるのじゃ。別れを惜しむのは当然ではないか？ しかし何度も手招ぎをしたのは、別れを惜しんだばかりではない。――一体あの時おれの所へ、船のはいったのを知らせたのは、この島にいる琉球人じゃ。それが浜べから飛んで来ると、息も切れ切れに船々と云う。船はまずわかったものの、何の船がはいって来たのか、その外の言葉はさっぱりわからぬ。あれはあの男もうろたえた余り、日本語と琉球語とを交る交る、ともかくも船と云うから、早速浜べへ出かけて見た。すると浜べには何時の間にか、土人が大勢集っている。その上に高い帆柱のあるのが、云うまでもない迎いの船じゃ。おれもその船を見た時には、さすがに心が躍るような気がした。少将や康頼はおれより先に、もう船の側へ駈けつけていたが、この喜びようも一通りではない。現にあの

琉球人なぞは、二人とも毒蛇に嚙まれた揚句、気が狂ったのかと思うた位じゃ。その内に六波羅から使に立った、丹左衛門尉基安は、少将に赦免の教書を渡した。が、少将の読むのを聞けば、おれの名前がはいっていない。おれだけは赦免にならぬのじゃ。——そう思ったおれの心の中には、僅か一弾指の間じゃが、いろいろの事が浮んで来た。——姫や若の顔、女房の罵る声、京極の屋形の庭の景色、天竺の早利即利兄弟、震旦の一行阿闍梨、本朝の実方の朝臣、——とても一々数えてはいられぬ。唯今でも可笑しいのは、その中にふと車を引いた、赤牛の尻が見えた事じゃ。しかしおれは一心に、騒がぬ容子をつくっていた。勿論少将や康頼は、気の毒そうにおれを慰めたり、俊寛も一しょに乗せてくれいと、使にも頼んだりしたようじゃ。が、赦免の下らぬものは、何をどうしても、船へは乗れぬ。おれは不動心を振い起しながら、何故おれ一人赦免に洩れたか、その訳をいろいろ考えて見た。高平太はおれを憎んでいる。

——それも確かには違いない。しかし高平太は憎むばかりか、内心おれを恐れている。おれは前の法勝寺の執行じゃ。兵仗の道は知る筈がない。が、天下は思いの外、おれの議論に応ずるかも知れぬ。——高平太は其処を恐れているのじゃ。おれはこう考えたら、苦笑せずにはいられなかった。山門や源氏の侍どもに、都合の好い議論を拵えるのは、西光法師なぞの嵌り役じゃ。おれは眇たる一平家に、心を労する程老耄れは

せぬ。さっきもお前に云うた通り、天下は誰でも取っているが好い。おれは一巻の経文の外に、鶴の前でもいれば安堵しさに、俊寛も無気味に思うているのじゃ。して見れば首でも刎ねられる代りに、この島に一人残されるのは、まだ仕合せの内かも知れぬ。――そんな事を思うている間に、愈、船出と云う時になった。すると少将の妻になった女が、あの赤児を抱いたまま、どうかその船に乗せてくれいと云う。おれは気の毒に思うたから、あの事を頼んでやった。が、基安は取り合いもせぬ。おれもあの男は咎めずとも好い。あの男は勿論、役目の外は、何一つ知らぬ木偶の坊じゃ。おれもあの男は咎めるにいのは少将じゃ。――」

俊寛様は御腹立たしそうに、ばたばた芭蕉扇を御使いなさいました。
「あの女は気違いのように、何でも船へ乗ろうとする。とうとうしまいにあの女は、少将の直垂の裾を摑んだ。すると少将は蒼い顔をしたまま、邪慳にその手を刎ねのけたではないか? 女は浜べに倒れたが、それぎり二度と乗ろうともせぬ。唯おいおい泣くばかりじゃ。おれはあの一瞬間、康頼にも負けぬ大嗔恚を起した。少将は人畜生じゃ。康頼もそれを見ているのは、仏弟子の所業とも思われぬ。おまけにあの女を乗せる事は、おれの外に誰も頼まなかった。――お

れはそう思うたら、今でも不思議な気がする位、ありとあらゆる罵詈讒謗が、口を衝いて溢れて来た。尤もおれの使ったのは、京童の云う悪口ではない。八万法蔵十二部経中の悪鬼羅刹の名前ばかり、矢つぎ早に浴びせたのじゃ。が、船は見る見る遠ざかってしまう。あの女はやはり泣き伏したままじゃ。おれは浜べにじだんだを踏みながら、返せ返せと手招ぎをした」

御主人の御腹立ちにも関わらず、わたしは御話を伺っている内に、自然とほほ笑んでしまいました。すると御主人も御笑いになりながら、

「その手招ぎが伝わっているのじゃ。嗔恚の祟りは其処にもある。あの時おれが怒さえすねば、俊寛は都へ帰りたさに、狂いまわったなぞと云う事も、口の端へ上らずにすんだかも知れぬ」と、仕方がなさそうに仰有るのです。

「しかしその後は格別に、御歎きなさる事はなかったのですか？」

「歎いても仕方はないではないか？ その上時のたつ内には、寂しさも次第に消えて行った。おれは今では己身の中に、本仏を見るより望みはない。自土即浄土と観じさえすれば、大歓喜の笑い声も、火山から炎の迸るように、自然と湧いて来なければならぬ。おれは何処までも自力の信者じゃ。――おお、まだ一つ忘れていた。あの女は泣き伏したぎり、何時までたっても動こうとせぬ。その内に土人も散じてしまう。船

は青空に紛れるばかりじゃ。おれは余りのいじらしさに、慰めてやりたいと思うかから、そっと後手に抱き起そうとした。するとあの女はどうしたと思う？ いきなりおれをはり倒したのじゃ。おれは目が眩みながら、仰向けに其処へ倒れてしもうた。おれの肉身に宿らせ給う、諸仏諸菩薩諸明王も、あれには驚かれたに相違ない。しゃっと起き上って見ると、あの女はもう村の方へ、すごすご歩いて行く所じゃった。何、おれをはり倒した訳か？ それはあの女に聞いたが好い。が、事によると人気はなし、凌ぜられるとでも思ったかも知れぬ」

五

わたしは御主人とその翌日、この島の火山へ登りました。それから一月程御側にいた後、御名残り惜しい思いをしながら、もう一度都へ帰って来ました。「見せばやなわれを思はん友もがな磯のとまやの柴の庵を」——これが御形見に頂いた歌です。俊寛様はやはり今でも、あの離れ島の笹葺きの家に、相不変御一人悠々と、御暮らしになっている事でしょう。事によると今夜あたりは、琉球芋を召し上りながら、御仏の事や天下の事を御考えになっているかも知れません。そう云う御話はこの外にも、まだいろいろ伺ってあるのですが、それは又何時か申し上げましょう。

注 解

羅生門

ページ 八

* 暮方の事　芥川には、「蜜柑」（大正八年）「杜子春」（大正九年）「神々の微笑」（大正一一年）など日暮れが舞台となる作品が多い。
* 下人　身分の卑しい者。
* 羅生門　平安京・朱雀大路の南端にあった大門。平安京の正門。羅城門。現在、東寺の西に羅城門趾がある。近世から羅生門とも記された。「羅」にはからめとるという意味があり、生の全貌を見極めるという意味で芥川が、俗記の〈羅生門〉をつかったのではないかという説（吉田精一「羅生門」補注『近代文学注釈大系　芥川龍之介』昭和三八年五月刊、有精堂出版）もある。
* 丹塗　赤い色の顔料である丹で塗ったもの。
* 蟋蟀　現在のこおろぎのこと。平安朝以後、こおろぎをきりぎりすと呼んでいたので、蟋蟀と書いて〈きりぎりす〉と振り仮名をつけている。
* 朱雀大路　平安京・大内裏の南正面の朱雀門から羅生門まで、南北に走る平安京の中央

大通り。現在、京都の千本通りにあたる。
*市女笠　中央が高く突き出た菅笠。もと、市場の女がかぶったが、平安中期以降は上流女性の外出用の笠となった。図参照。
*揉烏帽子　揉んで柔かく作った烏帽子。冑の下にかぶる。烏帽子は元服した男子のかぶりもので、正装の冠に対して、日常に用いられた。
*辻風　つむじ風。
*洛中　平安京（京都）の市中。地図参照。
*旧記によると　「旧記」は古い記録。この部分の描写は「方丈記」の以下の文章による。
「あやしき事は、かゝる薪の中に、丹つき、白銀、黄金のはくなど、所々につきて見ゆる木のわれ、あひまじれり。是をたづぬれば、すべき方なきもの、、古寺に到りて、仏をぬすみ、堂の物の具をやぶり取りて、わりくだけるなりけり」（『校註国文叢書』第一二巻、大正三年刊）。

九
*料　材料。
*鴟尾　宮殿・寺院などの棟の端に取り付ける魚尾形の大瓦。ここでは、羅生門の棟の両端につけられたもの。
*襖　庶民の労働着だった直垂の一種。素襖は裏がないが、襖は裏地のついた袷。

市女笠

229　注　解

卍 仁和寺
　　　　　　　　▲ 船岡山
　　　　　　　　　　　卍 雲林院
　　　　　　　　　　　　　　　　　　　　　　〒 下鴨神社
　　　　　　　　〒 北野天満宮
　　　　　　　　　　　　　　　現在の京都御所

〒 上賀茂神社

一条大路
土御門大路
近衛御門大路
中御門大路
大炊御門大路

大内裏
内裏

二条大路
三条大路

右京　　　左京

四条大路
五条大路

河原院

六条大路
七条大路
八条大路
九条大路

羅城門

鴨川

桂川

西京極大路
木辻大路
道祖大路
西堀川小路
西大宮大路
皇嘉門大路
朱雀大路
壬生大路
東大宮大路
東堀川小路
西洞院大路
東洞院大路
東京極大路

平安京

* 面皰　下人が未熟な若者であることを示している。芥川の随筆「澄江堂雑記」(大正一一年)に、「昔『羅生門』と云ふ小説を書いた時、主人公の下人の頬には、大きい面皰のある由を書いた。当時は王朝時代の人間にも、面皰のない事はあるまいと云ふ、謙遜すれば当推量に拠ったのであるが、その後左経記に二君とあり、二君又は二禁なるものは今日の面皰である事を知った。」(『芥川龍之介全集第九巻』〔平成八年七月刊、岩波書店〕)とある。

一〇 *Sentimentalisme　サンチマンタリスム(仏)。感傷癖。
*申の刻下り　午後四時過ぎ。
*築土　築地。土塀。
*嚔　くしゃみ。

一一 *汗衫　汗取りの下着。山吹の汗衫に紺の襖を重ねているという下人の服装が「今昔物語集」巻二三第一五「陸奥前司橘則光切殺人語」に登場する人物の服装に拠っているという指摘(清水康次『芥川龍之介全集第一巻』〔平成七年一一月刊、岩波書店〕注解)がある。

一二 *聖柄　皮をつけず、木地のままの刀の柄。
*鞘走らないように　刀身がひとりでに鞘から抜け出ないように。
*檜皮色　黒褐色。
*頭身の毛も太る　恐怖で髪の毛や体毛が逆立つように感じられること。恐怖を示す定型

注解

一四　*弩　石を飛ばす武器。城や崖の上に設け、敵が近付くと上から石を弾き落とす仕掛け。

一五　*検非違使の庁　「検非違使」は、犯罪者を検察、裁判し、京中の秩序の維持をつとめる役職。「検非違使の庁」は、その役所。

一六　*太刀帯　東宮の護衛にあたった下級の武官。「太刀帯の陣」はその詰め所。

一八　*黒洞々　洞穴のように奥深く真っ暗な様子。

二〇　*下人の行方は、誰も知らない　この結びの一文になったのは、短編集『鼻』(大正七年七月刊、春陽堂)所収の時。初出稿(『帝国文学』大正四年一一月刊)では「下人は、既に、雨を冒して京都の町へ強盗を働きに急ぎつゝあった。」とある。また、第一短編集『羅生門』稿(大正六年五月刊)では「下人は、既に、雨を冒して京都の町へ強盗を働きに急いでゐた。」となっている。

鼻

　*禅智内供　民部少輔行光の子という説がある(『校註国文叢書』の「今昔物語」頭注)。「内供」は内供奉の略。供奉ともいう。高徳の僧十人を選び、宮中で仏道を修行する内道場に侍らせ、天皇の健康などを祈る読経をさせた。

　*池の尾　現在の京都府宇治市池尾町。宇治川の上流で山の中にある。

　*沙弥　修行未熟の少年僧。

二〇
*当来の　来世の。
*渇仰　深く信仰すること。
*鋺　金属製のおわん。
*中童子　寺で給仕に使った少年。僧の外出の供もした。大童子、中童子、小童子がいて、年齢によって仕事の内容が違ったといわれる。

二一
*鼻を粥の中へ落とした話　典拠の「池尾禅珍内供鼻語」では、鼻を粥に落された内供が「高貴な方の鼻だったらただではすまないぞ!」と怒ったのに対して、中童子が「あんな鼻が他にあるものか」と言う、そのやりとりの可笑しさが主眼となっている。
*喧伝　世間で盛んに言いふらすこと。
*僧供講説　僧侶を饗応供養したり、経典を講義解説したりする会合。
*水干　狩衣(平安時代の貴族の普段着)の一種。公家の普段着。糊を使わず、水に浸して張った絹で作ったことからこういう。図参照。
*帷子　裏地をつけない衣服。ひとえもの。
*椎鈍　椎の樹皮から採った染料で染めた墨色。
*内典外典　内典は仏教の典籍。外典は仏教以外の書籍。
*目連や、舎利弗　ともに、釈迦の十大弟子の一人。

二二
*竜樹　竜樹菩薩(150頃〜250頃)。ナーガルジュナ。インドに大乗仏教を広めた、古代

烏帽子—
水干—

注　解

* 馬鳴　一、二世紀頃の仏教理論家。空の思想を確立した。大乗仏教の興隆に貢献した。
* 震旦　古代中国のこと。古代インドで古代中国を呼んだ呼称の漢音訳。
* 蜀漢の初代皇帝　劉備（161〜223）。呉、魏とともに天下を争った中国三国時代の一国蜀漢の初代皇帝。「通俗三国志」には、玄徳の耳の事が「両の耳肩にたれ。左右の手膝をすぎ。よく目を以てその耳をかへりみる」と書かれている。
* 長楽寺　京都市東山区円山公園内にある寺。延暦年間（782〜805）、最澄が創建した。

二四
* 供僧　供奉僧の略。本尊の供養や定時の読経を勤める。
* 聴従　相手の言うことに従う事。
* 提鉉（つるおけ）があって、手で下げる桶。

二五
* 折敷　細い木を折りまわして縁にした、薄い板の盆。
* 責めて踏めと申したで　力いっぱい踏めと申したので、強く踏んでいるのですが。
* 痛うはないて　痛くはないよ。「て」は終助詞。
* 残喘を保っている　「残喘」は、長くない余命。なんとか生き残っている。

二六
* 法華経書写の功を積んだ時のような　法華経、つまり妙法蓮華経を書き写すという功徳（くどく）のある仕事をした時のような。

二七
* 侍　平安時代、宮中や貴族の家に仕えて雑用をした従者。
* 下法師　雑役をする身分の低い僧。

二八 *普賢 普賢菩薩。釈迦如来の右側に侍し、慈悲をもって人々を救済する。その画像は、金剛杵を持ち、白象に乗っている。仏道修行の部屋では、経机の前に阿弥陀如来や普賢菩薩の画像を掲げ、法華経を机上に置いていた。内供は、普賢菩薩の乗る白象の長い鼻を眺めながら、自分の鼻の事を考えていた。

*「今はむげに……しのぶがごとく」 今はすっかり落ちぶれた人が、かつての栄華を懐かしがるように。

二九 *法慳貪の罪 「慳貪」は意地の悪い事。「法慳貪の罪」とは、仏法を説くこともせず、人々を仏道に導かず、無慈悲に叱りつけたりする事。

*尨犬 毛がふさふさと垂れ下がった犬。

*風鐸 塔の軒の四隅につるされる青銅製の鐘形の鈴。図参照。

三〇 *九輪 塔の頂きにつける柱状の飾り。九つの金属製の輪でできている。図参照。

*蔀 日光や風雨を防ぐ板戸。格子の裏に板が張ってある。

芋粥

三二 *元慶 平安前期、陽成・光孝天皇の御代の年号(877〜884)。「がんぎょう」あるいは

「がんきょう」と読む。

三

* 仁和　元慶に続く光孝・宇多天皇の御代の年号（885〜888）。
* 藤原基経（836〜891）　陽成天皇を擁立し、元慶四年（880）、太政大臣となり、藤原氏の権力を拡大した。また、宇多天皇の摂政を務め、臣下で初めての関白となった。典拠の「今昔物語集」「宇治拾遺物語」では「二の人」（朝廷の第一の人である摂政、関白をさす）と書いてあるだけだが、芥川は国文叢書本下巻頭注「摂関たる人をいふ、こゝは基経のことなり」に拠って藤原基経と限定したことが指摘されている（安田保雄「芥川龍之介の『今昔物語』──「校註国文叢書」本について──」『比較文学論考 続編』）。
* 五位　位階の一つ。昇殿（清涼殿の殿上の間にのぼること）を許される者の最下位。
* 旧記　この小説の典拠である「今昔物語集」と「宇治拾遺物語」をさす。
* 日本の自然派　明治末期から大正まで、文壇の中心勢力となっていた自然主義の作家達。島崎藤村、田山花袋、徳田秋声、正宗白鳥らがいる。自己体験を踏まえて、平凡人の日常を現実直視の作風で描く。この部分には、自己告白を嫌い、反自然主義の立場で文壇に登場した芥川の、自然派への風刺が見られる。
* 衢風　「衢」は「巷」と同じ意味。街路の風。
* 牛飼　牛車の牛を引く職業の者。少年が多かった。
* 侍所　親王家、摂関家、大臣家にあった、その家の侍の詰め所。その建物で、警護や事務にあたった。

* 別当　親王家、摂関家、大臣家などの政所、文殿、蔵人所の長官。
* 自然の数　当然のなりゆき。

三四
* 興言利口　人を笑わせたり感心させたりする当為即妙の話術。
* 品隲（しながる）しなさだめ。品評。
* うけ唇の女房　尻軽な感じの妻。うけ唇の女は浮気性といわれていた。
* 篠枝　竹の筒で作った、酒を入れる携帯用の器。

三五
* 無位の侍　原典の「今昔物語集」には登場しない人物。この〈無位の侍〉を加える事で、芥川は、主人公五位への読者の視点を定着させていく。
* 丹波の国　現在の京都府北部と兵庫県の一部。当時丹波は「鄙」（田舎）の代名詞だった。

三六
* 一味の　一種の。
* 青鈍　青みがかった鈍色（濃い鼠色）。
* 指貫　直衣、狩衣に着用する袴。図参照。
* 上白んで　表面の色があせて。
* 丸組の緒　糸を編んで丸く作った紐。水干の襟の前後についていて、これを前で飾りに結ぶ。
* 菊綴　水干の縫い目に付ける菊花形の装飾。胸に一箇所、背面・左右の袖に四箇所、いずれも二つ

直衣
指貫

注解

ずつ付ける。

*三条坊門　二条大路と三条大路の間を東西に走る小路。平安京を東西に走る小路を「坊門」と呼んだ。

*神泉苑　平安京造営の時に作られた皇居の庭園で、天皇や貴族の遊覧の地だった。空海がここで雨乞いの修行をして以来(824)、ここの池で雨乞いが行われるようになった。現在の京都市二条の南、大宮の西にあった。

三七
* こまつぶり　独楽の古称。
* べっかっこう　「あかんべえ」の異称。べっかんこう。
* 甘葛　甘茶づる。それを煮詰めた液を濃縮して甘味料にした。
* 万乗の君　「天皇」の異称。

三八
* 臨時の客　平安時代、摂政・関白家で、正月二日に公卿を招いて行なった酒宴。正式の招待客でなく、臨時の招待客を歓待した。
* 第　邸宅。

三九
* 二宮の大饗　「二宮」とは東宮（皇太子）と中宮（皇后）のこと。毎年正月二日に、親王や公卿を招いて行なった饗宴。「臨時の客」より盛大だった。
* 取食み　饗宴の残り物を庭に投げて、乞食などに食べさせること。
* 伏菟　油で揚げた餅。
* 氷魚　鮎の稚魚。

*楚割　魚肉を楚(すわえ)(細長い若枝)のように割いて乾したもの。
*鮭の内子　塩引き鮭の腹に、塩漬けの筋子をつめたもの。内子は子籠(こごもり)のこと。
*大柑子、小柑子、橘蜜柑の種類。大柑子は夏蜜柑。小柑子は蜜柑。橘はこうじ蜜柑。
*恪勤院、摂関家、大臣家に仕える侍。怠けずに奉公するという意味でつけられたという。
*民部卿時長　藤原時長。「民部卿」は、戸籍・租税・土木・交通などを扱う民部省の長官。
*藤原利仁　越前・能登・加賀・武蔵の守(かみ)を歴任した武将。武術に優れ、武勇伝が残されている。典拠となった国文叢書本「今昔物語」頭注に「その妻は越前敦賀の人有仁の女にして資産富饒なり、利仁これが女婿となりて常に敦賀に住みたりき」とある。
*黒酒　白酒にクサギ(木の名)の焼き灰を入れて、また後には黒ゴマの粉を入れて作る黒い酒。
*大嘗祭(だいじょうさい)　天皇即位後初めての新嘗祭(天皇がその年収穫した穀物を神に捧げ、自分でも食べる行事)などにふるまわれた。
*橙黄橘紅(とうこうきっこう)　黄色い橙(だいだい)と赤い橘(たちばな)の果実。
*窪坏(くぼつき)　柏(かしわ)の葉を何枚か竹の針で綴じ、中をへこませて皿のようにした器。
*高坏　裏側に一本の高い脚をつけた器。
*朔北の野人　前述のように、利仁は北方の地敦賀に住んでいた。
*談柄　話題。

四三

*侍学生　貴人の家に仕える「学生」の身分の者。「学生」は、大学寮に籍を置く者をいう。
*行縢の片皮……乗ろうとした話　「行縢」は、乗馬の際、草木の露などを防ぐ為に両足や袴の前面を覆ったもの。鹿・熊・虎などの毛皮で作った。「片皮」は、片方の足を入れる所。この話は『古今著聞集』巻一六「興言利口」の部に「進士志定茂といふ侍学生」の話として出ている。
*粟田口　京都三条から逢坂関へ出る東国街道の要地。山科・大津に通じる。現在の京都市東山区粟田口町。
*縹　薄い藍色。
*打出の太刀　金銀で飾った刀。
「鬚黒く鬢ぐきよき」　鬚が濃く、左右の耳際の毛筋が美しい。たくましい男性像を示す。この語句は「今昔物語集」巻二八第三七「東人通花山院御門語」に拠る（吉田精一『近代文学注釈大系　芥川龍之介』昭和三八年、有精堂出版）。
*月毛　赤みがかった茶色の毛の馬。
*蘆毛　白い毛の中に黒い毛など他の色の毛が混じっている馬。
*駿足　脚の速い立派な馬。
*調度掛　主人の外出の際、調度品を担いで供をする従者。武士の場合は武具を担いだ。
*舎人　貴族に仕え、雑用を勤める従者。

* 潺湲たる　水がさらさらと流れていること。「潺湲」は、水の流れる音や様子。
* 鶺鴒　水辺に住む形の美しい小鳥。長い尾を上下に動かす習性がある。
* 螺鈿　貝殻の真珠色に光る部分をいろいろな形に薄く切って、漆器などの表面にはめ込み飾りとしたもの。

四四 *山科　京都と大津の中間辺りに位置する。
　　 *関山　逢坂関のあった逢坂山のこと。

四五 *三井寺　大津市にある園城寺の俗称。天台宗寺門派の総本山。天智・天武・持統という三天皇の産湯の水を汲んだ井戸があったのでこう呼ばれる。
　　 *人煙　人家のかまどの煙。転じて、人家そのものをさす。

四六 *的皪　鮮やかに輝く様子。
　　 *近江の湖　琵琶湖のこと。
　　 *越前　現在の福井県。
　　 *路次　道中。旅の途中。

四七 *壺胡籙　矢を入れて背中に負う筒型の道具。
　　 *黒漆の真弓　黒い漆を塗った弓。「真弓」は弓の美称。
　　 *観音経　「法華経」第二五普門品の通称。様々な災難を救済する観世音菩薩の功徳が説かれている。
　　 *黄茅　黄色く枯れた茅。茅は屋根をふくのに使う。

注解

四八 *蕭条たる　物寂しい。
　　*灌木　低い木の総称。
　　*憂々　硬いものの触れ合う音。
　　*巳時頃　現在の午前十時ごろ。
　　*高島　現在の滋賀県高島市高島。琵琶湖の西岸にあり、三井寺から約二八キロ、敦賀から約四〇キロの交通の要地。
　　*広量の御使　つかみどころのない使者。

四九 *ナイイヴ　naïve（英）　素朴な。
　　*頤使　頤で使う。つまり、自分の思うままに動かすこと。
　　*阿諛　媚びること。
　　*幇間　たいこもち。遊客のお座敷遊びを盛り上げる男芸者。
　　*なぞえ　すじかい。はすかい。
　　*蹲踞　うずくまること。

五〇 *破籠　弁当箱。白木の折り箱で、中に仕切りがあり、ふたがついている。
　　*戌時　現在の午後八時ごろ。
　　*阪本　現在の滋賀県大津市坂本町。日吉(ひよし)大社があるので「阪本の狐」といったか。

五二 *切燈台　「燈台」は、上に油皿を置いて灯火(ひ)をともす木の台。切燈台は、結い燈台（三本の細い木の中ごろを紐で結び、その

切燈台

上下を広げ、上部に油皿を置いて火をつけるもの）を切り縮めた背の低い燈台。図参照。

*雀色時　夕暮れ。夕暮れの空の色が雀の毛の色に似ていることからいう。
*長櫃　長い箱型の容器。
*直垂　直垂衾の略。襟と袖をつけた着物形の蒲団。
*練色　白味を帯びた薄い黄色。
*曹司　宮中や邸宅に仕えている人の自室。
*卯時　現在の午前六時ごろ。
*五斛納釜　一斛は十斗で一石と同じ。五石（約九〇〇リットル）入る大きな釜。
*あまずらみせん　甘葛を煎じた汁。
*蓬々然として　入り乱れて盛んに。
*京童　都で五位を罵った子供達。

運

六二
*清水　清水寺。京都市東山区清水にある。本尊は十一面観音立像。
*金鼓　仏教の打楽器。銅製で円形をしている。
*壺装束　平安時代、中流の女性が徒歩で外出する時

壺装束

注解

の服装。市女笠をかぶり、たれた髪を小袖の中に入れ、小袖の前の両方の裾(つま)を折って前にはさんだもの。図参照。

*黄牛　あめ色の毛並みの牛。上等の牛として尊ばれた。
*網代車　青竹や檜(ひのき)を細く削って編んで、車の屋根や両わきに張った牛車。
*青侍　身分の低い若侍。青侍を聞き手とする構造は、森鷗外訳「センツアマニ」における若い兵卒に老漁師が男女の昔語りをするという設定の影響が指摘されている。

六三　*鳥羽僧正　(1053～1140)。平安後期の天台宗の僧。源隆国の子。鳥羽離宮に住んだ。「鳥獣戯画」「信貴山縁起(しぎさん)」絵巻の作者と伝えられる大和戯画の名手。鳥羽上皇の帰依(きえ)をうけ、鳥羽離宮に住んだ。

六五　*参籠　神社や寺にある期間籠って祈願すること。お籠り。
*瓶子　徳利の古称。
*西の市　平安京の東西に設けられた市のうち西のもの。朱雀大路の七条辺り（現京都市下京区七条通の北、御前通の西）にあり、東の市と並んで三三種類の品物の専門店があった。毎月十六日から月末まで、正午から日暮れまで営業していた。

六六　*績麻　麻を細くさき、長くつないでよりあわせた糸。
*白朱社　近江の白鬚(しらひげ)神社（？）。
*狐を使う　自分の身体に狐の霊を呼び寄せてまじないをする。
*白あばた　皮膚のメラニン色素をつくる機能が低下して肌に白い斑点が出来る皮膚病。正式の病名は尋常性白斑。しろなまず。

六七 *襤褸 ぼろぼろの衣服。
*三七日の間 二一日間。
*満願 日数を決めて神仏に祈願し、その期限が終わったこと。
*陀羅尼 梵語（総持）のこと。梵語の長い呪文を、翻訳しないでそのまま唱えること。仏菩薩の説いた呪文で、これを唱えると厄除けになり功徳を授かるとされる。
*常夜燈 夜通しつけておく灯り。
*端厳微妙 厳かで奥深い美しさがあること。
六八 *八坂寺の塔 京都市東山区（二年坂の西側）にある四〇〇メートルの五重塔。現在の塔は、永享二年（一四四〇）に再建したもの。
六九 *宿世の縁 前世からの因縁。
*綾 種々の模様を織り出した、美しい絹織物。
*疋 織物を数える単位。一疋は布地二反。
七〇 *皮匣 皮を張ったかご。
*吐胸をついた びっくりした。どきっとした。
*放免 検非違使の庁に使われる下僕。軽い罪の者の刑を免じて使ったのでこう呼ばれる。
七一 *炊女 台所仕事をする女。飯炊き女。
*目くされ 眼病で目のふちが爛れていること。

注解

七三 *五条京極　京都市の松原通と寺町通が交わるところ。
　　 *経営　もてなし。接待。
　　 *白丁　綿の白い狩衣を着た貴族の従者。傘持ちや沓持ちをし、また馬の口を取ったりと雑役に使われる。

七四 *看督長　検非違使の属官。罪人を逮捕し、牢獄の管理をした。
　　 *実録　実地に検分して記録すること。

袈裟と盛遠

七八 *盛遠　遠藤盛遠。鎌倉前期の僧侶文覚上人の俗名。上西門院の北面の武士だった。一八歳の時、袈裟御前に横恋慕し、袈裟の夫源左衛門尉渡を殺そうとして夫の身代わりとなった袈裟を斬った。その後出家し、高雄山神護寺再興をはかり、平家討伐に尽したといわれる。盛遠出家の物語は、多くの浄瑠璃や謡曲となって、袈裟御前の烈婦貞女像を定着させた。
　　 *月魄　月が出ようとする時、空が明るく白んで見えること。
　　 *渡左衛門尉　「左衛門尉」は、皇居を警護する左衛門府の三等官。渡は盛遠と同じく源氏の一門。

七九 *袈裟　本名は「あとま」。盛遠の伯母「衣川殿」の娘なので、「衣」の連想から「袈裟」と呼ばれた。「源平盛衰記」にその美貌を讃えられている。

八〇 ＊衣川　岩手県平泉付近。北上川の支流衣川が流れる地域。ここでは、その地に住んで衣川殿と呼ばれていたその人自身をいう。
　　＊渡辺の橋の供養の時「橋供養」とは、橋が出来上がった時、渡り初めの前に、橋の上で行なう供養。

八二 ＊傀儡　傀儡（操り人形）を回して放浪する旅芸人。女は売春もしたので、遊女そのもののこともいう。

八三 ＊『渡を殺そうではないか』　典拠の「源平盛衰記」では、袈裟の方から渡を殺害しようと言い出している。
　　＊天魔波旬　仏教でいう、欲界第六天の魔王の名。常に仏道の障害をして人心を悩ませ知恵を鈍らせる。

八四 ＊姦婦　自分の夫以外の男に通じる女。

八五 ＊今様　今様歌の略。広義には、平安中期以後の、当時の流行歌。狭義には七五音または八五音を四回繰り返す四句形式の歌謡。仏教の和讃から起こったといわれる。

八六 ＊帳台　貴族の部屋で、寝るために敷居を一段高くした部分。
　　＊あの人　盛遠の独白には「袈裟」「衣川」「渡」という固有名詞が出てくるが、袈裟の独白では、盛遠が「あの人」、衣川が「伯母様」、渡が「夫」とだけ呼ばれる。このような呼称の配慮には、歴史的貞女という仮面を剥ぎ、恋人や縁戚だけの世界で生きる「普通の女」としての袈裟の肉声を伝えたいという作者の意図があったと考えられる。

八七 *月蝕を見た気味の悪さ 「月蝕」は、地球が月と太陽の間に入り、太陽の光をさえぎるため月の一部、または全部が欠けて見える現象。凶兆だと思われていた。

邪宗門
九三 *邪宗門 豊臣秀吉の伴天連（バテレン）追放令（1587）、江戸幕府の禁教令（1612, 1613）で禁じられた基督教（キリスト）とその信者のこと。この作品では、平安朝の物語の題に、その言葉を使っている。

九四 *地獄変 死者の地獄での責め苦を描いた地獄変相図のこと。ここでは、芥川の小説「地獄変」（大正七年）の内容を踏まえている。
*御屋形の空へ星が流れますゆら「太平記巻五」に「天下将（まさ）に乱れん時、妖霊星といふ悪星下つて災を成すといへり」とある。
*御庭の紅梅……開きますゆら「古今著聞集」巻一九に見える。
*夢枕 「平家物語」巻六「入道死去の事」に清盛の北の方（妻）が、清盛の死が迫った頃、「猛火の夥（おびただ）しう燃えたるに、車の主もなきを、門の内へ遣り入れたるを見れば、車の前後に立ちたる者は、或は牛の面のやうなる者もあり、あるは馬のやうなる者もあり」という夢を見たとある。

九五 *良秀 芥川作「地獄変」の主人公である平安時代の絵師。
*陰陽師 古代中国の陰陽五行説に基づき、天文・暦数を研究し、占いや呪術（じゅじゅつ）を行なった

者。
　＊有験の法師　祈禱で優れた効果を示す高僧。
　＊定業　前世から定まった悪行の報い。
　＊今出川　「今出川」は京都市上京区を流れていた川の名で、その付近の地名をいう。御
　　所の東南で、現在の同志社大学辺り。当時、高級貴族が多く住んでいた。
　＊「あた、あた」「あつ、あつ」の転語。熱く苦しい時にいう感嘆詞。「平家物語」巻六
　　「入道死去の事」に「身の内の熱きことは火を焚くが如し。臥し給へる所四五間が内へ
　　入る者は、熱さ堪へ難し。唯宣ふ事とてはあたあたとばかりなり」とある。
　＊護摩　真言宗の秘法の一つ。不動尊の前に壇を設け、ヌルデ（木の名）を燃やして、祈
　　る。
九七　＊うらうえ　表が裏に、裏が表になることで正反対の意味。うらはら。大殿と若殿の性格
　　が「うらうえ」という設定は、「平家物語」の清盛と重盛父子、「栄華物語」の道長と頼
　　道父子にも通う。
九六　＊菅相丞の御歌　菅原道真の歌「このたびは幣もとりあへずたむけ山もみぢの錦神のま
　　にまに」か。ただ「竜田の院」「清らかな一すじの流れ」などから、在原業平の「ちはや
　　ぶる神世もきかず竜田川から紅に水くくるとは」の歌の方が相応しいので、芥川の記憶
　　違いとも思われる。
　＊帥民部卿　「帥」は大宰府の長官。「民部卿」は民部省（戸籍・租税・土木・交通を

注　解

九八　*三舟に乗るもの　京都市嵐山の大井川(現大堰川)における遊覧の時、詩・歌・管絃のいずれの舟にも乗れる資格がある者。三舟の才といわれた。源経信が三舟に乗ったことは「古今著聞集」巻五などに見える。
　　　*五趣生死の図　衆生が自己の業に導かれて、地獄・餓鬼・畜生・人間・天上の間を輪廻転生する様を描いた図。地獄変相図ともいう。
　　　*竜蓋寺　奈良県高市郡明日香村岡にある真言宗の寺。
九九　*二人の唐人の問答　以下の話は「古今著聞集」巻五「唐人連歌の事」を踏まえる。
　　　*磬　楽器名。石または銅で作り、架(棹)に掛けて打つ。仏具でもある。
　　　*中御門の少納言　「中御門家」は、「古今著聞集」などに管絃の名家として登場する。実在の笙かは不明。
一〇〇　*伽陵　迦陵頻伽。極楽浄土に住む声の美しい鳥の名。
　　　*大食調入食調　「大食調」「入食調」ともに雅楽の六調子の一つで、笙の秘曲であった。
　　　*無地勝　双六の最高の勝ち方。自分の石を二個ずつ並べて相手の陣地に入れてしまうこと。
一〇一　*二条大宮の百鬼夜行　「大鏡」中巻の、右大臣師輔が二条大宮で百鬼夜行に遭い、「尊勝陀羅尼」を唱えて無事だったという記事を踏まえる。「二条大宮」は、京都の二条大路と大宮大路の交差する大内裏の東南の角。朱雀門東方の淋しい場所で、霊鬼出没の噂が多かった。

（司る）の長官。ここではそれを歴任した源経信(1016〜97)をさす。

249

一〇二 *東三条の河原院　「東三条」は東六条の誤り。「河原院」は、源融(とおる)の住居。融の左大臣　平安前期の官吏・歌人であった源融(823〜895)。河原の左大臣と言われた。この話は、「今昔物語集」巻二七第二「川原院融左大臣霊宇陀院見給語」、また「宇治拾遺物語」の「河原院に融公の霊住む事」を踏まえる。
あとを打たせる　合槌(あいづち)をうつ。

一〇四 *仏が人の姿で現れた者。権化・権現と同意。本作に影響を与えた「大鏡」栄華物語」では、藤原道長がこのように喩えられている。
下司　身分の低い者。下賤の者。

一〇五 *機織り　きりぎりすの古名。以下の話は「古今著聞集」巻五の「花園左大臣家の侍が青柳の歌の事」、「十訓抄」第四―十四「花園大臣家の侍の青柳の歌」を踏まえる。
*直垂　ここでは衣服の名。絹・布・紗・金襴などで作る。元来は庶民の労働着だったが、後に、公家・武家の平服ともなった。
*除目　大臣以外の諸官を任じる儀式。毎年二回清涼殿で行なわれ、春のものを県召(あがためし)、秋のものを司召(つかさめし)といい、前者で地方官を、後者で京官を叙任した。
*天が下の色ごのみ　「伊勢物語」第三九段に見える言葉。

一〇六 *人口に膾炙する　人々の口にのって広く知れ渡る。
*狐の塚を……狂うた　女に化けた狐と契る話が「今昔物語集」巻一四・巻一六、「古今著聞集」巻二〇などに見える。

注解

一〇七
*二条西洞院　京都の二条大路と西洞院大路が交わる辺りの地名。
*菅原雅平　虚構の人物。
*筑紫　筑前・筑後（ともに今の福岡県）の称。また、九州地方の称。
*楽天　白居易（772〜846）。白楽天。中国唐代の詩人。玄宗皇帝と楊貴妃の悲恋を詠んだ「長恨歌」で知られる。
*東坡　蘇軾（1036〜1101）。蘇東坡。宋代の文人、詩人。

一〇八
*柳桜襲（かさね）の色目のこと。襲色目とは、衣服を重ねて着る時の衣と衣の配色、また衣の表と裏の配色や色目の色合いをいう。柳襲は白と青、桜襲は白と二藍（ふたあい）（暗い灰紫）を重ねる。
*竹取物語の中　「竹取物語」の主人公赫夜姫（かぐやひめ）への、五人の貴公子の求婚失敗譚をさす。
*京極の左大弁様　「京極」は京都の地名。「左大弁」は、中務・式部・治部（じぶ）・民部を管轄（かんかつ）する両大弁の一つ。芥川の創作した人物。
*京童　ここでは京都の若者達。京の群集。

一一〇
*平太夫　芥川の創作した人物。
*思へども……思ふかひなし　「古今集」巻一九の「俳諧歌」に出ている古歌。あなたを思っている私をあなたは思ってないとおっしゃるなら、もう私もあきらめます、想う甲斐もないから。

一一二
*虫が大御好きで、……御姫様　「堤中納言物語」（つつみちゅうなごんものがたり）中の「虫めずる姫君」をさす。

一一三
*沙門　仏門に入って修行する人。僧。

* 摩利の教　中国化された基督教の一派「景教」が八世紀頃から日本に伝来していた事は、「摩利支天とマリアとの連想で、芥川が仮想した宗教。「邪宗門」執筆当時、史学雑誌などで紹介されていた。「摩利の教」は、摩利支天とマリアとの連想で、芥川が仮想した宗教。
* 染殿の御后に鬼が憑いた　「今昔物語集」巻二〇第七「染殿后為天宮被嬈乱語」を踏まえる。「染殿」は藤原良房の娘・明子。

一二四
* 福徳の大神　「百錬抄」第五、応徳二年七月の記事を踏まえる。
* 迂濶な近江商人が……攫われた　「宇治拾遺物語」中の「大童子鮭ぬすみたる事」を踏まえる。但し「宇治拾遺物語」では「近江商人」（商才があることで知られる）ではなく「越後」から来た男になっている。
* 智羅永寿　前述の「今昔物語集」巻二〇第二「震旦天狗智羅永寿渡此朝語」に「今は昔、震旦に強き天宮有けり、智羅永寿と云ふ」とある。
* 天上皇帝の御教　ここでは基督教をさす。
* 阿鼻叫喚の地獄　仏教語で八大地獄の一つ。悪行をした者が、死後絶えず苦しみを受ける所。無間地獄。この辺りは、基督教を説くのに仏教語を使っている。
* 摩利信乃法師　「摩利の教」から仮想した名。

一二五
* 諸天童子　「諸天」は天上界の諸神。ここでは「諸天童子」という仏教的な言葉で、基督教の天使を表現している。

注解

一一六 *白癩 色が白くなる皮膚病。しろなまず。最も嫌われた悪病。
 *切禿 おかっぱ頭。
一一九 *唐土 中国の異名。
 *天竺 日本・中国でのインドの古名。
一二〇 *跛 足が利かなくて歩行が不自由な人。
 *前の摂津守 虚構の人物。「今昔物語集」巻一九第四に「摂津守源満仲出家語(つのかみみなもとのみつなかしゆつけすること)」がある。
一二一 *人面瘡 「人面瘡」は、人の顔に似た形の悪性のはれもの。以下の話は、「今昔物語集」巻二九第二五の「丹波守平貞盛取児干語(たんばのかみたいらのさたもりちこをとること)」を踏まえる。
 *四条の大橋 四条河原(四条大路東の加茂川の河原)にかかる橋。
 *非人小屋 「非人」は、平安時代には、江戸時代のように身分を表わす言葉でなく、単に、乞食・窮民・罪人をさした。ここでも、四条河原の「乞食小屋」の意味。
一二三 *美福門 大内裏の南面、朱雀門の東にある門。「今昔物語集」巻二八第一六「値盗人謀遁語(ぬすひとにあひてはかりてのがるること)」に、美福門辺りで盗賊に襲われる話がある。
一二五 *雑色 雑役に使われる身分の低い者。
一二七 *十念 念仏を十回唱えること。
 *重畳 この上なく満足なこと。
一三〇 *糺の森 京都市左京区にある下鴨神社付近の森。加茂川と高野川が合流する地点で、ほ

一三一 ＊御諚　貴人の命令。仰せ。お言葉。

一三二 ＊油小路　堀川通りと西洞院通りの間を南北に走る通り。

＊道祖の神　道祖神。悪霊、疫病神の侵入を防いで、通行人を守る道路の神。辻・村境・峠などに祭られた。塞（さえ）（障り）の神。さいの神。

一三三 ＊怪しい九字　基督教の十字架の形に手を動かすことか。「九字」とは、本来は、真言密教で行なわれる呪術「臨兵闘者皆陣列在前」の九字を唱え、縦に四回、横に五回の直線を空中に描く。

一三五 ＊倭絵　日本画の流派の一つ。平安時代に起こり、漢画に対し題材・手法が日本的なもの。土佐派、巨勢派などがある。

＊薄色の袿「袿」は平安時代の貴婦人の服で、唐衣（からぎぬ）の下に着る。内に着る衣から「うちぎ」という。くつろいだ場では、唐衣も裳も着けない袿姿でいる。清らかな中御門の姫君の象徴のように描かれるこの「薄色の袿」は、作中で、その後、常に摩利信乃法師の肩に掛かって現れる。一つの袿に、中御門の姫君と摩利信乃法師の謎の関係が暗示されている。

一三六 ＊桑海の変　桑畑が海になる変化ということで、世の中が激変すること。

＊無常経　葬場で読誦される経典として知られる。義浄（635〜713）訳。

＊蓮華蔵世界　極楽世界。

注解

*業平 在原業平(ありわらの)(825〜880)。平安前期の歌人で「伊勢物語」のモデル。六歌仙の一人。皇妃や伊勢斎宮と情事のあったこと、東国に下ったことなどが知られている。美男として有名で、藤原政権の圏外に置かれた皇族として、政務より恋愛とうた作りに情熱を傾けた。

*知識 仏教語。物事の正邪を判別する知恵と見識のある人物。

*穢土 浄土に対して、凡夫のいる穢(けが)れた世界。現世。この世。

*伊勢物語 平安初期の延喜五年(905)頃までに成立。作者不詳。在原業平を想像させる〈昔男〉の恋愛生活を、一二五話の短篇で描いている。

一三七 *後生 来世。

*釈教 仏教。

一三八 *伎芸天女 仏教語。大自在天から化生した天女で、その美しさで知られる。

*世尊金口 仏教語。「世尊」は仏。特に釈迦(しゃか)をいう尊敬語。「金口」はお言葉。日の神に仕え、自在の通力を有する女神。その姿を肉眼では見られず、身を隠して災いを避けると信じられた事から、武士の守護神とされた。

一三九 *摩利支天

*波斯匿王 紀元前五〇〇年頃のインド中部の舎衛国の王。仏教を保護した。

*茉利夫人 「今昔物語集」巻三第一四の「波斯匿王娘金剛醜女語(はしのくわうのむすめこんがうしゆにょのこと)」に「今は昔、天竺の舎衛国に王有り。波斯匿王と云ふ。后をば末利夫人と云ふ。其の后、形貌端正美麗なる事、十六の大国に並ぶ女無し」とある。

一四〇 *延喜の御門の……実は天狗じゃ 以下の話は「今昔物語集」巻二〇第三の「天狗現仏坐木末語(てんぐぶつげんじてこずゑにましますといふこと)」、および同巻第六の「仏眼寺仁照阿闍梨房託天狗女来語(ぶつげんじのにんせうあじゃりのぼうにんぐうのきたるをんなくるといふこと)」による。「延喜」は九〇一~九二二年。

*三千世界 全世界。三千大千世界の略。須弥山(しゅみせん)周囲の小世界を千集めたものを小千世界といい、それを千集めたものを中千世界といい、さらにそれを千集めたものを三千世界という。

*桜人の曲 催馬楽(さいばら)の「桜人」。「さくらびと。さくら人。その舟ちぢめ。島つ田を。十町つくれる。見て帰りこんや。ソヤヤ。ことをこそ。明日ともいはめ。をちかたに。妻避(さ)る夫なれば。明日も実来じや。ソヤヤ。しあすもさねこじゃ。ソヤヤ」(『日本歌謡類聚上巻』明治三一年二月刊、博文館)。

一四二 *慮外ながら 失礼ながら。ご無礼ながら。

*打伏の巫子 「今昔物語集」巻三一第二六の「打臥御子巫語(うちふしのみこかむなぎのこと)」に見える。賀茂の若宮が憑いた巫子が云う事は、すべて的中する。

一四五 *天魔外道 「天魔」は欲界の第六天の魔王、及びその一族。「外道」は仏教徒から見た仏教以外の教え、邪道。「天魔」も「外道」も仏教語だが、ここではその言集を「摩利の教」(基督教)の側から使っている。

*阿鼻大城 阿鼻地獄。この辺りの表現は『太平記巻十』の「鎌倉兵火の事附長崎父子武勇の事」の「女童部ども追立てられて火の中、堀の底ともいはず、逃げ倒れたる有様は

注解

一四六 *柳の五つ衣 「柳」は襲の色目(「邪宗門」一〇七頁の注参照)。「五つ衣」は、平安時代の貴婦人の装束で、単の上、上着の下に袿を五枚重ねて着たもの。

*釵子 女性が礼装する時、頭髪を上げるために差して飾りとしたもの。かんざし。

一四八 *辻冠者 路上の浮浪者。仕官していない若者。

一五〇 *無辜 何の罪も無いこと。

一五一 *更闌けてから 夜が更けてから。

一五三 *目釘 刀剣の柄が抜けないようにする金具。目釘を唾液などで湿らせるのは、太刀を抜く準備。

一五四 *火鼠の裘 「竹取物語」に描かれた、火に焼けることのないという皮衣。かぐや姫が求婚者の一人阿倍御主人に、結婚の条件として持ってくるよう命じたもの。「竹取物語」では「天竺」ではなく「唐土」となっている。

一五七 *段々壊 「法華経・普門品」中の言葉。刀で細かに切り刻んでしまうこと。

一六一 *阿弥陀堂を御建立になって このあたりの描写は、藤原道長が阿弥陀堂(法成寺)を建てて供養した時の「栄華物語」の記事などを参考にしている。

*錦 五色の糸で様々な模様を織り出した、厚地の美しい織物。

一六二
* 蓮華宝土　極楽世界。
* 竜舟　船首に竜頭をつけた舟。平安時代、貴族の宴会の時、竜頭鷁首といって、竜の頭の舟と鷁（水鳥の一種）の首の舟の二艘を一対にして池に浮かべた。そして、それぞれに楽人を乗せ、音楽を演奏させた。
* 錦の平張りを……水を切らせながら　この描写は「今昔物語集」巻三一第五「大蔵史生宗岡高助傳娘語」の「其の船に（略）上には錦の平張りを覆ひ（略）蛮絵着たる童の鬘結たる、二つの船に乗せて、色取りたる棹を以て船を差す」を踏まえる。「平張り」は、直射日光や雨雪を防ぐ天幕のこと。「蛮絵」は、舞楽の袍（宮中で、正装の束帯の時に着用する上着）につける鳥獣草花の紋様。
* 犬防ぎ　仏前の格子のこと。
* 勢至観音　「勢至菩薩」と「観音菩薩」のこと。ともに阿弥陀如来の脇士。「勢至菩薩」は阿弥陀如来の右脇に侍し、いっさいの知恵を代表する。
* 紫磨黄金　紫磨金。紫色を帯びている純金。
* 瓔珞　頭・胸・首に掛ける宝玉や貴金属の装身具。ここでは仏像を飾る宝玉。
* 礼磐　仏前で、僧侶が読経・礼拝のために上がる高座。
* 宝蓋　天蓋の美称。「天蓋」は、仏像の上にかざす絹製の笠。
* 栴檀沈水　「栴檀」も「沈」もインド産の香木。

一六四
* 火長　検非違使（「羅生門」一五頁の注参照）の配下。

一六五 *過てるを知って……勿れ　論語「学而第一」（八）に「子曰……過則勿憚改」とある。
*山の座主　天台宗・比叡山延暦寺の管長。
*仁和寺　仁和二年（886）、光孝帝が建立。次代の宇多帝（上皇）以来、真言宗御室派本山となる。

一六六 *南都北嶺　「南都」は奈良、及び奈良の寺々。南都七堂といわれる東大寺・興福寺・元興寺・大安寺・薬師寺・西大寺・法隆寺などがあった。「南嶺」ともいう。「北嶺」は、比叡山延暦寺のこと。
*灌頂の儀式　ここでは、基督教の洗礼の儀式をいっている。信者になる時、宗派により、水に浸し、あるいは頭上に水を注ぐ。
*横川の僧都　源信（942〜1017）。比叡山横川の慧心院にいたので慧心僧都ともいう。学問に優れ、道心深く、「往生要集」を著して、我が国の浄土教を確立し「栄華物語」・「平家物語」・謡曲などに多大の影響を与えた。弥陀来迎図、地獄変相図も描いたとされ、芥川作「地獄変」の収束部にも登場する。
*法界の竜象　仏教界の高僧。
*鼠に……忌む　鼠を殺そうとして何かを投げようと思うが、鼠の近くの器物に当たるのを恐れて、それを控えること。転じて、悪い臣下を除こうとすることが、かえって主人を傷つけるのではとためらうこと。

一六七 *金剛邪禅　「邪禅」は邪悪な禅をいう仏教語。ここでは、邪悪な宗教の意味。「金剛」は

羅生門・鼻　260

仏教関係の語に冠する。
一六八
＊三宝　仏教語で、仏の別称。
＊老衲　老僧の意味。自身を謙遜していう。
＊大獅子吼　仏教語。仏の説法に、悪魔や邪道の者が恐れ伏す様を、獅子のような大音声の意味もある。ここでは、獅子が吼えて百獣が隠れ伏すのに喩えた言葉。
＊二尊の金甲神　仏を守護する二神の金剛力士。密迹金剛と那羅延金剛のことで、俗に仁王と呼ばれる一対の神将。
一六九
＊金剛杵　密教で煩悩打破の象徴として用いる仏具。
＊火宅僧　堕落僧。「火宅」は、この世・現世・娑婆。煩悩に悩まされている状態を、火事にあった家に喩える。

好色
一七二
＊平中　平貞文(?〜923)。「古今集」等の歌人。「平中物語」の主人公。多くの女性との交渉が、平中滑稽譚として説話化される。芥川が参照した『校註国文叢書』(博文館)の「今昔物語」では「定文」とあり、「宇治拾遺には貞文に作る、……字を平中といふは兄弟三人ありけるその中にあたればなり」とある。
＊宇治拾遺物語　鎌倉時代の説話集。編者未詳。これは巻三ノ一八の引用。
＊今昔物語　平安末期の説話集。三一巻。撰者未詳。天竺、震旦、本朝の三部構成。これ

注解

は巻三〇第一の引用。芥川は、あらゆる階級が登場し、広くインド、中国、日本を舞台とする「今昔物語」の「brutality（野性）の美」（「今昔物語鑑賞」昭和二年）を愛し、多くの作品の典拠とした。

* 十訓抄　鎌倉時代の説話集。著者未詳。これは第一一二九の引用。
* きらめき烏帽子　黒漆をなめらかに塗って光らせた烏帽子。平安末期に流行した。
* 臙脂　べに。紅色の染料。
* 鬢　頭の左右側面の髪。耳の上の髪。
* 惆悵　惆悵は本来失意のさまに用いるが、芥川は「憧憬」の意味で「惆悵」を多用した。
* 几帳　室内で貴人のすわるそばに立て、外との隔てとしたもの。
* 女松　植物の赤松の異名。
* 障子　部屋と部屋との間を仕切る建具の総称で、明かり障子・襖障子・衝立障子などがある。

一七四
「天が下の色好み」　天下一の好色人。「邪宗門」一〇五頁の注参照。
* Don Juan　ドン・ファン。ドン・ジュアン。スペインの伝説的好色家。転じて、放蕩児もしくは女たらしのこと。
* 侍従　在原業平の孫。在原棟梁の娘。「今昔物語集」によれば、初め藤原国経（時平の叔父）と結婚し少将滋基を生み、その後藤原時平と結婚し敦忠を生んだ。歌集「本院侍従集」がある。平中とは時代的に合わないとの見方もある。

*稲荷詣で　旧暦二月の初午の日に稲荷神社に参詣すること。
*初午　二月の最初の午の日。この日各地の稲荷社で初午祭があり、初午詣をする。
*紅梅　襲の色目の一つ。表は薄紅色、裏は蘇芳色（紫がかった紅色）。春用いる。
*萌黄　襲の色目の一つ。表裏ともに萌黄色。もしくは表は薄青色、裏は縹色。
*その容子　『校註国文叢書』の「今昔物語」に「今は昔、衣曝の始の午の日は、昔より京中に上中下の人稲荷詣とて参り集の日也、……艶ず装ぞきたる女会たり、濃き打たる上着に紅梅萌黄など重ね著て、生めかしく歩びたり」とあり、下敷きにしたと思われる。
*緋　牛車の屋形、車箱。前後に出入口を設けた囲いで、人が乗る部分。
*本院の大臣　藤原時平。菅原道真を大宰府に左遷させたことで有名。本院は時平邸の称。
*範実　未詳、藤原実範か？　実範は、平安中期の漢学者、漢詩人。
*篳篥　雅楽用の管楽器。奈良時代初期に中国から伝来。音は鋭く哀愁を帯びる。
*画巻　「源氏物語絵巻」などに描かれた引目鉤鼻の女性像をイメージすべきか。
*青女房　宮中や貴族に仕える若年未熟の女房。
*艶書　ラブレター。恋文。
一七五
*豊楽院の古狐　「今昔物語集」巻二七第三八「狐変女形値幡磨安高語」に「豊楽院の内には人謀る狐有と聞くぞ」とある。豊楽院は節会や大嘗祭等の国家的饗宴の場として用いられる大内裏の宮殿の一つ。
一七六
一七七
*奈良坂の狐　「今昔物語集」巻二七第三七「狐変大槻木被射殺語」による。奈良

注　解

一七八 *嵯峨の狐　嵯峨は京都府相楽郡木津町に通じる京街道の坂道。坂は奈良市から京都府相楽郡木津町に通じる京街道の坂道。
　　　*高陽川の狐　「今昔物語集」巻二七第四一「高陽川狐変女乗馬尻語」による。高陽川は「仁和寺の東に」とあるので現在の紙屋川か。
　　　*桃薗の狐　桃薗は一条の北、大宮の西、別荘地で池が多かった。
　　　*金仏　男女間の情愛などを解さない人。
　　　*薄葉　薄手の和紙。雁皮で薄くすいた鳥の子紙。和歌を書き写したり、物を包んだりする時に用いた。
一八〇 *遣戸　左右にあけたてする引き戸。両開きの妻戸に対する。
　　　*衣紋　着くずれを直したりする時に、着物の襟を胸であわせる部分。
　　　*檜肌葺　檜皮（檜・杉・椹の樹皮）で葺いた屋根。
一八一 *雨竜　中国の想像上の動物。雨を起こす。
一八二 *雨革　雨天の時、牛車や輿などを覆った布。表は油を引いた練り絹、裏は生絹（練らない生糸で織った布。
一八三 *空焚き　どこからともなく匂って来るように香を焚くこと。
　　　*何かの草紙　「源氏物語」の「空蟬」あたりを想定すべきか。空蟬は「やをら起き出でて、生絹なる単衣をひとつ着て、すべり出でにけり」といち早く源氏の侵入に気付き、部屋を立ち去った。

一八四 *雨夜のしなさだめ 「源氏物語」の「帚木」で、宮中の雨夜のつれづれにまかせて、頭中将らが女性の三階級論を展開。その結果、「中の品の女」に高い評価が下る。
　　　*ぬば玉の……まさらざりけり 「古今集」恋歌三・六四七番。題しらず、よみ人知らずの歌。歌の内容が、この時の平中の心理と一致する。
　　　*夢にだに「古今集」恋歌五・七六七番「夢にだに逢ふことかたくなりゆくは我や寝ぬ人や忘るる」を引くか。「逢ふことかたく」がその後の状況を導くとも読める。

一八五 *孔子（前552?〜前479）。中国春秋時代の思想家。字は仲尼。儒教の開祖で、「仁」を理想とする道徳主義を説いた。

一八七 *空海上人（774〜835）。真言宗の開祖弘法大師。『三教指帰』『文鏡秘府論』『性霊集』などを著す。

一八九 *小野道風（894〜966）。小野篁の孫。藤原佐理、藤原行成とともに三蹟の一人。
　　　*巫山 「巫山」は、中国四川省巫山県にある山。「宋玉・高唐賦」からの故事で、楚の襄王が夢の中で契りを結んだ神仙女。
　　　*末法の世の中 「末法」は仏教語で、三区分した最後の時期。釈迦の入滅後、正法・像法に次ぐのが末法で、日本では永承七年（1052）末法に入ったとする。

一九〇 *まり 大小便のこと。
　　　*祈願 恋の炎を断ち切るための祈願は「伊勢物語」六五段が有名。「なほわりなく恋しうのみおぼえければ、陰陽師、巫、呼び手、恋せじといふ祓の具して（中略）恋せじと

注解

　御手洗川にせしみそぎ神はうけずもなりにけるかな」。
＊加茂の御社　下鴨神社。鎮護国家の神。
＊御鏡　神前に立てられている神鏡。

一九一　＊撫子重ね襲の色目の一つ。青系統と赤系統があり、青系は多く男子の襲とし、表を紫の薄色、裏を青または紅梅。赤系は女子に多く、表を紅梅、裏を赤または青とする。
　　　　＊袙「間籠」の意であり、上着と下着の間に着る衣。多く幼童が用いた。

一九三　＊香染　丁子を濃く煎じて、その汁で染めたもの。黄地に赤みを帯びたもの。丁子香。
　　　　＊丁子　丁子の蕾を乾燥させ、蒸留したものを香料とする。
　　　　＊吉祥天女　もとインド神話の神で、後に仏教に入った天女。鬼子母神の子、毘沙門天の妹で、容姿が美しく、人々に福徳を与える。

一九四　＊沈「邪宗門」一六二頁の注参照。
　　　　＊橘　ここではみかん科の常緑高木をさす。初夏に白い花を開き、葉と花に芳香がある。
　　　　＊嫋然　みめうつくしいさま。

俊寛
一九六　＊俊寛云ひけるは……給ふべし「源平盛衰記」理巻第九「宰相申預丹波少将事」からの引用。
　　　　＊源平盛衰記　鎌倉時代後期の四八巻の軍記物語。

＊〈俊寛〉　いとど思ひの……柴の庵を」「源平盛衰記」理巻第九「康頼熊野詣附祝言事」(やすよりくまのまうでのつとのこと)の末尾からの引用。

＊俊寛　(?～1179)。平安末期の僧。法勝寺の執行(しゆぎよう)。後白河院の近臣として活躍。鹿ケ谷事件で藤原成経、平康頼と共に鬼界ケ島に配流。成経、康頼が大赦で都に召し返されたのちも、独り白石が島に移され、その地で没した。「平家物語」他、文学、戯曲に脚色されることが多かった人物。芥川の「澄江堂雑記」(十二　俊寛)　参照。

＊有王　俊寛僧都の召使。幼時から仕え、俊寛が鬼界ケ島に流されると逢いに行き、俊寛の死後その遺骨を高野山に納めて出家する。

＊或琵琶法師が語った「或琵琶法師」の話とは、倉田百三が大正九年三月『白樺』(しらかば)に発表した戯曲「俊寛」をさす。

一九七
＊もう一人の琵琶法師……語って　菊池寛が大正十年十月『改造』に発表した「俊寛」をさす。

＊我は顔　我こそはというような自慢顔。

＊鬼界が島　薩摩潟(さつまがた)(薩摩南方)の海に広がる奄美(あまみ)大島諸島の総称。俊寛らは、この諸島のうち硫黄島(現鹿児島県鹿児島郡三島村)に流された。

一九八
＊治承三年　一一七九年。鹿ケ谷事件で俊寛らが逮捕されたのが治承元年六月三日、同年七月に鬼界ケ島に流された。それから約二年後に有王が俊寛を訪れた。治承三年十一月には平清盛は、後白河法皇を鳥羽院に幽閉している。

*これは琵琶法師も語る事「源平盛衰記」奴巻第十に「山路に日暮れぬれども、(中略)松風白浪心を痛ましむ」とある。

一九九 *「童かとすれば……人に似て人に非ず」「源平盛衰記」奴巻第十「有王硫黄島に渡る事」からの引用。一部省略して引用されている。
　　　 *僧都の御房　俊寛。「僧都」は僧正の次の僧官。「御房」は僧の敬称。『校註国文叢書』「源平盛衰記」上巻に「新大納言と俊寛僧都とは宗人(首謀者)のこと」とある。
　　　 *榕樹　クワ科の亜熱帯性常緑高木。ガジュマル。種子島以南、アジアの熱帯に広く分布し、防風樹に植えられる。幹は多くわかれ、根が垂れ下がり、いちじくに似た小さな花が咲く。

二〇〇 *成経　藤原成経 (1156〜1202)。平安・鎌倉時代前期の公家。鹿ケ谷事件に連坐し、鬼界ケ島に流されたが、翌年中宮御産の御祈禱の大赦で帰京。
　　　 *康頼　平康頼。生没年未詳。平安・鎌倉時代の武士。鹿ケ谷事件に加わり鬼界ケ島に配流。翌年、赦免されて帰京し、仏教説話集「宝物集」を編んだ。
　　　 *業平の朝臣　在原業平。一三六頁の注参照。

二〇一 *実方の朝臣　藤原実方 (?〜998)。平安時代中期の官人、歌人。藤原行成と殿中で口論し、行成の烏帽子を取って庭に投げたため陸奥国に流されたり（「古事談」など）、陸奥国名取郡笠島の道祖神を下品の女神と罵って蹴り殺された（「源平盛衰記」）という説話が残されている。

二〇二

* 台盤所　台盤（宮中・貴族の家で、食物を盛った食器を載せた台。食卓）の置かれた場所。台所。宮中では清涼殿の西廂にある女房の詰所。
* 上﨟　尚侍、二位、三位の典侍など身分の高い女官、婦人。

二〇三

* 三界六道　三界は生物が生死輪廻する欲界・色界・無色界という三種の迷いの世界。六道は欲界の中にあり、天道・人間道・修羅道・畜生道・餓鬼道・地獄道をいう。
* 十方最勝　仏教語。東西南北乾坤艮巽上下の全界において最も優れている。
* 三学無碍　仏道を修行する者が必ず修めるべき三つの基本的な項目である戒学・定学・慧学を、自由自在に融通して障りのないこと。
* 億々衆生引導の能化　迷いの世界にあるあらゆる生類を仏道に教え導く師。
* 釈迦牟尼如来　釈迦。如来（真理の体現者）、能化（教化者）、教主（開祖）はいずれも釈迦の称。
* 三十二相八十種好　仏教語。仏が備えているという三十二の優れた身体的特徴と、はっきり見ることができない微細な八十の特徴。
* 南蛮北狄　古代中国で、異民族に用いた蔑称。
* 胡人　中国北方に住む胡国の人の意味から転じて、日本にも伝わった言葉。未開の土地の人。外国人。

二〇四

* 結い燈台　「芋粥」五二頁の注参照。
* 前栽　庭さきの植え込み。
* 厨子　調度・食物・書画などを載せる置き棚。

注解

二〇五
* 臭梧桐　クサギ（臭木）の別名。クマツヅラ科の落葉低木。葉が大きく、茎にも葉にも一種の臭気があり、夏、白い花が咲く。若葉は食用に使われる。
* 永良部鰻　エラブウミヘビの別名。コブラ科の海生毒ヘビ。
* 白地鳥　アオサギのことをさすと思われる。鶴に似た大型鳥で、体長一・五メートル位。
* 鸛　コウノトリ。体は純白で翼の大部分が黒い。高木の樹頭に営巣する。
* 牧牛の女難陀婆羅　仏弟子の一人で、もと牧牛者だった牧牛難陀の娘。
* 乳糜　牛乳で作ったお粥。
* 畢波羅　菩提樹（クワ科のインドボダイジュ）。日本の寺院や街路樹に植えられるシナノキ科の高木ボダイジュとは別のもの。
* 第六天の魔王波旬　欲界の六天のうちで最上層の天のこと。多くの眷属を率い、人間界において仏道のさまたげをする。

二〇六
* 六牙象王　普賢菩薩の乗物である六牙の白象。
* 天竜八部　八部衆のこと。古代インドの邪神であったが、釈迦に教化され、仏法を護持するようになった天・竜・夜叉・乾闥婆・阿修羅・迦楼羅・緊那羅・摩睺羅迦の八神。天衆と竜神とは八部衆の首位なのでこういう。
* 仏本行経　インドの馬鳴著 "Buddhacarita" 五巻を劉宋の宝雲が訳した書。釈迦生誕から八部舎利までを記す。

二〇七
* 赤間が関　山口県下関の古名。

二〇八 *「……世の中（中略）あなかしこ。……」「源平盛衰記」奴巻第十・留巻第十一の「有王硫黄島に渡る附有王・俊寛問答の事」からの引用。

二〇九 *『増長驕慢、尚非世俗白衣所宜』「仏本行経」からの引用。白衣は俗人の別称。

*粟散辺土 日本のこと。

二一〇 *恒河沙 インドの大河ガンジス河の砂。

*大般涅槃 釈迦入滅のこと。

*摩訶伽葉 摩訶は梵語で、優れた、大きいという意味。伽葉は、頭陀（ずだ）（衣食住に関して少欲知足に徹する修行）第一といわれた釈迦十大弟子の一人。釈迦の死後、教団を率い、経典を集大成した。

二一一 *成親の卿 藤原成親 (1138〜77)。平安時代後期の廷臣。平氏追討の謀議を計り発覚、鹿ケ谷で捕えられ、平重盛の助力で死罪を免れ備前国に流された。のち難波で清盛に殺された。

二一二 *宗人 中心人物。首謀者。

*西八条 京都市下京区にある地名。平清盛の邸宅のあった場所。

*浄海入道 平清盛 (1118〜81) の法名。仁安三年 (1168) 出家入道し、浄海と名のった。

*源平藤橘 源氏、平氏、藤原氏、橘氏。

二一三 *高平太 平清盛の少年時代のあだ名。高足駄の平家の太郎（嫡男）（ちゃくなん）の意。

*小松の内府 平重盛 (1138〜79) の俗称。清盛の嫡男。性温厚かつ理性的な武勇の人と

称賛されたが、父に先立って病死した。京都市右京区にあった小松に邸宅があった。小松殿ともいわれる。「内府」は旧制内大臣の異称。
*中御門高倉の大納言様　藤原成親。
*上童　公卿の子で昇殿を許されて、宮中に仕える少年少女。ここでは単に、中御門高倉の大納言の屋形に仕える少女。

二二四 *摩登伽女　鉢吉帝のために摩登伽女は幻術で阿難尊者を誘惑したが、釈迦の力でその難が解かれた。
*阿難尊者　阿難陀。釈迦の十大弟子の一人。

二二五 *竜樹菩薩　「鼻」一二三頁「竜樹」の注参照。
*肥前の国鹿瀬の荘　現佐賀県佐賀市嘉瀬町の荘園。
*平の教盛（1128〜85）。平安時代末期の武将。平忠盛の子、平清盛の異母弟。一一八五年、壇ノ浦の戦で没した。
*父君の御不運　藤原成親の殺されたこと。
*祭文　祭りの時、神の霊に告げる文。
*香火　神仏の前で香を焚く火。

二二六 *帰命頂礼　己れの身命を投げ出して、仏・法・僧の三法に帰依すること。仏を拝む時に唱える言葉。
*熊野三所の権現　熊野三社の主祭神。和歌山県新宮市にある新宮の熊野速玉神社の速玉

二七
* 之男神、田辺市本宮町にある本宮の熊野坐神社の家都美御子大神、東牟婁郡那智勝浦町にある熊野那智神社の夫須美神。
* 日吉山王　滋賀県大津市にある日吉大社。
* 王子の眷属　京都から熊野神社へ参詣の途中にある熊野権現の所々の末社の出張地。眷属は一族。
* 堅牢地神　大地を守護し、堅牢ならしめる神。
* 竜神八部　天竜八部に同じ八部衆のこと。二〇六頁の注参照。
* 応護　所願に応じて衆生を保護すること。
* 西風大明神、黒潮権現　西風や黒潮は卒塔婆を近畿地方へ漂流させるのに好都合なので、夢中で神頼みしている康頼を茶化している。
* 禍津神　禍いをおこす神。
* 天魔　欲界の他化自在天のこと。

二八
* 奥州名取郡笠島の道祖　現宮城県名取市愛島字西台笠島にある道祖神社。道祖は旅の安全を守る神。この箇所の記述は『源平盛衰記』登巻第七「笠島道祖神の事」による。
* 五塵　仏教で、心のさまたげとなる色、声、香、味、触の五つの汚れのこと。
* 蕪坂　和歌山県海南市下津町にある坂。
* 音無の滝　和歌山県の熊野川上流の音無川にある滝か。京都市左京区大原の来迎院東方の滝も音無の滝といい、歌枕になっている。

注解

* 法施　神仏に経文をとなえること。
* 大納言　ここでは藤原成親のこと、新大納言と呼ばれている。
二二〇 *蒿吾　つわぶき。キク科の常緑多年草で海辺などに自生する。
* 我立つ杣の地主権現　自分の住む地の鎮守神。比叡山の守護神の日吉権現。
* 福原　現在の神戸市兵庫区付近。治承四年(1180)六月、平清盛が新都とした。
二二一 *「天に仰ぎ……白浪ばかりなり」「平家物語」巻三「足摺」の一節。
二二二 *松浦の佐用姫　「万葉集」巻五、「古今著聞集」第五、「十訓抄」第六にみえる話で、夫が任那へ遣わされるのを高山から見送り、領令を振ったという。
二二三 *六波羅　京都市東山区にある鳥部山の西麓一帯の地名。平安時代末期、平氏が本拠と定めた。
* 松浦即利兄弟　古代インドの長者の二子。継母に南海の孤島「海岸山」に捨てられ、昼夜悲哭したが、発願し、兄は観音菩薩、弟は勢至菩薩となった。
* 一行阿闍梨　唐代の僧。真言宗の祖。「源平盛衰記」に無実の罪で流されたことが書かれている。
* 法勝寺　京都市左京区岡崎にあった白河天皇建立の寺。六勝寺の一つ。俊寛の墓があった。
* 執行　寺院の総務を取り行なう僧職。
* 兵仗の道　武道。

* 山門　比叡山延暦寺の異称。
* 西光法師　(?〜1177)。俗名藤原師光(もろみつ)。後白河院に仕えて院政を支え、鹿ケ谷の謀議が発覚、殺された。
* 眇　極めて小さいこと。
* 舟子　舟の従業員。

二三四 * 八万法蔵十二部経　仏の教法および仏教聖典のすべて。
二三五 * 悪鬼羅刹　あらゆる悪鬼の総称。羅刹は悪鬼を強めていう言葉。
二三六 * 凌ぜられる　犯される。

神田由美子

芥川龍之介　人と文学

三好　行雄

　芥川龍之介は明治二十五年三月一日に、東京市京橋区入船町（いまの中央区明石町）に生まれている。外人居留地に近い一角だった。帝国憲法が公布されてから三年後、文明開化にはじまる日本の近代化はもはや後もどりの不可能な、ひとつの方向を選択し終えていた。西洋文明のあわただしい流入が日本人の生活様式を急速に変貌させつつあった反面、江戸時代からひきついだ伝統も、生活や文化の内実に生きて働きかける力をまだうしなっていなかった。北村透谷が「漫罵」という感想で、龍之介の生地にちかい銀座一帯の和洋雑然とした風景への痛恨を語ったのは、明治二十六年である。しかし、龍之介の生後七カ月頃に実母のふくが発狂し、ために母の実家である芥川家で養育されたというのは有名な事実である。明治三十七年、十二歳のときに、芥川家との養子縁組みが正式にととのったが、その二年前に、ふくが精神病院で死んでいる。母親の発

狂という悲劇は、幼くして乳房に別れた胎内体験の欠如とともに、心象の闇にふかく沈んだ原体験として、資質としてのペシミズムやニヒリズムを育て、また、生いたちの秘密を隠そうとする禁忌の感覚は、実生活の告白をこばむ虚構性を芥川文学の本質として決定することになった。

龍之介の養育された芥川家は、代々、江戸城のお数寄屋坊主をつとめた家柄で、本所小泉町（いまの墨田区両国三丁目）に居住していた。養父はふくの実兄道章で、東京府（都）の土木課長をつとめ、養母の儔は細木香以の姪にあたり、洒脱、放恣な生をすごした幕末の通人の血を引いていた。道章も〈いかにも江戸の通人らしい趣のある〉人だったという（恒藤恭『旧友芥川龍之介』）。隅田川に近い本所は、もともと江戸時代から文人墨客の風雅隠棲の地として知られ、文明開化の波に洗われる東京でわずかに、遺された江戸を彷彿する土地のひとつであった。芥川家も江戸城の礼式にかかわった家柄から礼儀作法のしつけにきびしかった反面、一家そろって遊芸に親しむなど文人ふうな趣味性が濃く、本所の風土性とともに、龍之介の個性形成の見のがせない因子となった。

最初の小品「大川の水」（大正三年）で、隅田川への愛着と思慕を語ってやまぬのを見てもわかるように、本所、というより本所に象徴される下町の抒情は芥川龍之介の

秘めた故郷であり、かれの感受にもっともなつかしい場所であった。しかし、龍之介の個性獲得の方向は、多くの近代作家の場合とおなじように、西洋との出会いによる故郷との訣別という形をとる。後年の半自伝体小説「大導寺信輔の半生」の回想を借りていえば、〈中流下層階級〉からの脱出を〈知的にえらいもの〉をめざす学問に賭けたのである。

*

　龍之介は本所元町の江東小学校から東京府立三中を経て、明治四十三年九月に第一高等学校一部乙（文科）に入学している。はやくから読書を好み、小学生時代に、馬琴や近松など江戸文学を好んで読んだという。中学・高校時代を通じ読書の対象は紅葉・露伴・一葉・蘆花・漱石などの現代作家およびイプセン・アナトール＝フランス・ツルゲーネフらの外国文学にひろがり、とくにストリンドベリ・ボードレェル・ワイルドなど十九世紀末文芸を耽読した。「〈彼は人生を知る為に街頭の行人を眺めなかった。寧ろ行人を眺める為に本の中の人生を知らうとした〉」とは後年の回想である（「大導寺信輔の半生」）。

　大正二年九月、龍之介は東京帝大英文科に進んだ。一高時代の親友恒藤恭が京大法科に去ったこともあって、同級生の久米正雄や菊池寛・成瀬正一・松岡譲らと親交を

ふかめた。はじめ漠然と学者を志望していた龍之介は、これらの友人たちによって創作の世界に誘われることになる。森鷗外の歴史小説を視野に入れ、翻訳短篇集『諸国物語』からは創作方法上の示唆をうけた。また、斎藤茂吉の『赤光』に感動して、〈詩歌に対する眼〉をひらかれたとみずから回想している〈僻見〉。大正三年二月には豊島与志雄や山本有三を中軸とする同人雑誌、第三次「新思潮」が創刊され、龍之介も誘われて参加した。創刊号に柳川隆之介の筆名で、アナトール＝フランスの「バルタザアル」の翻訳を掲載したのが、不特定多数の読者へむけて、作品を発表した最初であった。五月号には小説の処女作「老年」も発表されている。他に、戯曲「青年と死と」（九月）、小品「大川の水」（心の花」四月）など、詩歌をふくむ二、三の習作があるが、文壇の反響はまったく呼ばなかった。

越えて大正四年十一月、「帝国文学」に「羅生門」が発表される。芥川龍之介の手に入れた最初の傑作である。『今昔物語』に素材をもとめた短篇で、王朝末期の荒廃した都を舞台に、飢餓に直面するゆき暮れた下人に托して、善悪を超越した我執のドラマが描かれる。文壇からはいぜんとして黙殺されたが、龍之介がやがて新しい領域をひらくことになる歴史小説の原型をさだめた記念碑である。龍之介の独創は内外の典籍や伝説に典拠をもとめて歴史的事象に新しい解釈を与え、現代にまで普遍的な主

題を提示するところにあった。

おなじ年の十一月、龍之介は友人の林原耕三にともなわれて、夏目漱石の木曜会にはじめて出席した。漱石の知遇を得たことが運命の転機になった。漱石はわかい新人作家を愛し、親身な助言と協力を惜しまなかった。執筆中の漱石が龍之介に宛てた、〈勉強をしますか。何か書きますか。……どうぞ偉くなつて下さい。然し無暗（むやみ）にあせつては不可（いけ）ません。たゞ牛のやうに図々しく進んで行くのが大事です〉という一節をふくむ書簡（大正五年八月二十一日付）など、偽りのない親愛感が流露している。しかし、龍之介は牛にはなれなかった。やがて才能のすべてを燃焼させて、短距離走者のように短かい生涯を駆けぬけることになる。

*

大学時代の最後の年、大正五年の二月に第四次「新思潮」が創刊された。同人は龍之介をはじめ、久米・菊池・成瀬・松岡の五名で、龍之介は創刊号に「鼻」を発表した。長鼻のために悩む高僧の悲喜劇を描いた短篇で、厭味（いやみ）のないユーモアや要領のよい文章を漱石から激賞され、作家としての命運をひらく端緒となった。さらに漱石門下の鈴木三重吉の推挙で「新小説」に執筆の機会が与えられ、九月号所掲の「芋粥（いもがゆ）」および翌十月の「中央公論」に発表した「手巾（ハンケチ）」の成功によって、新進作家としての

地位をさだめた。「芋粥」は「羅生門」とおなじく『今昔物語』に素材をあおいだ短篇で、負け犬のあわれと勝ち犬の倨傲が非情な人間関係のからくりとして対照され、「手巾」は子を失った悲しみに耐える母親のさりげない動作をとらえて、武士道や婦徳の批判を意図した作品だが、逆に、型（マニイル）によって動く女性の美しさを彷彿するという皮肉な結果を招いている。龍之介の美意識のありかを告げる短篇である。
文名をさだめて以後の創作活動は堰をきったようにめざましく、歴史小説を主とする短篇をあいついで発表し、批評もおおむね好意的だった。第四次「新思潮」が終刊して二カ月後の大正六年五月に、最初の短篇集『羅生門』が阿蘭陀書房から刊行されたとき、龍之介はすでに、当代の一流作家としての評価を確かなものにしていた。そ の間、大正五年七月に、ウイリアム゠モリス研究を卒業論文として東大を卒業し、おなじ年の十二月には海軍機関学校の嘱託教官に就任して鎌倉に居を定めたが、同月九日に夏目漱石の死に逢い、ふしぎな心象のゆれを体験した。「或阿呆の一生」では、〈巻煙草に火もつけずに歓びに近い苦しみを感じて居た〉（十三「先生の死」）と書いている。

　　　＊

　龍之介の短篇小説は新技巧派の名で呼ばれたように、技巧にたけ、感情の自由な流

露を知性で統御しようとする傾向が強い。一作ごとに語りくちを変え、趣向を凝らした作品の完成度は当代に比類がなく、文体も高雅に洗練され、明晰な知性をこめて描いた。菊池寛に〈人生を銀のピンセットで弄んでゐる〉との評があるが、同時に、玲瓏と完結したぬきさしならぬ行間に、ふときざす情念のゆらぎがあり、日本人になつかしい抒情がただよう。虚構の花の空間に、身をひそめた優しい花の残滓も彷彿する。

龍之介の芸術観は「戯作三昧」（大正六年）や「地獄変」（大正七年）などにうかがえるが、作家の実生活のみならず、日常性にからみとられた人生そのものを芸術とひきかえにして悔いないという、徹底した芸術至上主義が説かれている。たとえば「戯作三昧」の馬琴は作家生活にまつわるさまざまな塵労を、芸術創造の〈恍惚たる悲壮の感激〉につつまれて忘却する。〈ここにこそ「人生」は、あらゆるその残滓を洗つて、まるで新しい鉱石のやうに、美しく作者の前に、輝いて居るではないか。……〉—作家の〈真の人生〉の明証は書くという行為のなかにのみ存在し、爾余の日常生活はすべて人生の残滓にすぎぬという、実人生を捨象し、創造の行為にのみ絶対の価値をおく芸術観の吐露である。「地獄変」の絵師良秀は屏風絵の完成のために最愛の娘を葬り、「奉教人の死」のろ、おれんぞはイエスの行跡に倣った殉教者の〈刹那の感動〉

を生きて、〈人の世の尊さ〉をきわめた。いずれもおなじモチーフの変奏として書かれた短篇であり、これらの作品をふくむ第三短篇集『傀儡師』(大正八年刊)は、芥川文学のひとつの頂点を示している。前後して、龍之介は大正七年二月に塚本文子と結婚し、翌八年三月には機関学校を辞職し、大阪毎日新聞社に入社している。出社の義務はなく、年数篇の小説を執筆するというのが、その条件であった。翌月、鎌倉をひきあげて田端の自宅にもどり、作家生活に専念することになる。我鬼窟と号した書斎に小島政二郎・南部修太郎・瀧井孝作ら新進作家の出入りもようやくめだち、創作活動もまた順調であった。『影燈籠』(大正九年)『夜来の花』(大正十年)『春服』(大正十二年)などの短篇集がつぎつぎに刊行され、「舞踏会」「南京の基督」「藪の中」「六の宮の姫君」など、珠玉の短篇が世評をあつめた。

　　　　＊

　芥川龍之介の晩年の悲劇は、固有の芸術至上主義の動揺、瓦解とともにはじまる。大正九年から十一年を過渡期として、龍之介は自己の文学観、人生観の訂正を強いられ、〈炉辺の幸福〉＝日常性の意味を問うべき重い主題としてひき受けてゆく。マルキシズムの擡頭など時代の動向にもうながされて、現実とのいやおうない対決を強いられたのである。技巧の美学も、もはや無力であった。前期の歴史小説を支えた〈意識

的芸術活動)の方法論を、龍之介がみずから否定するのは大正十二年のアフォリズム「侏儒の言葉」の「創作」の章においてである。嫉妬をめぐる最初の女性心理の綾をさぐった「秋」(大正九年)は現代を描いて、作風を変えようとした最初の試みだが、かならずしも成功していない。「保吉の手帳から」(大正十二年)以下、作者自身が保吉の仮名で登場する一連の短篇も書かれはじめる。体験の断面をコント風に仮構した作品の性格から見て、私小説との距離はまだ遠いといえるが、それにしても、告白を拒みつづけた龍之介が実生活にまで下降したことの意味は大きい。この系譜は、半生の起伏を悔恨に似た感情をこめて回想した「大導寺信輔の半生」(大正十四年)を経て、やがて、「点鬼簿」(大正十五年)の〈僕の母は狂人だつた〉という痛切な告白にまでいたりつく。龍之介がはじめて実家の父と母、姉など骨肉の死の記憶を語った短篇で、死に隣りあう憂鬱な心情をさながらに伝えている。

病魔も龍之介の心身をむしばみはじめていた。大正十年の三月から七月まで、大阪毎日新聞社の海外視察員として中国に特派されたが、このときの過密なスケジュールも原因のひとつで、帰国後、病臥を強いられている。大正十一年の暮れに書かれた書簡(真野友二郎宛)では〈神経衰弱、胃痙攣、腸カタル、ピリン疹、心悸昂進〉という病名を自嘲まじりに列挙している。不眠に悩み、強度の神経衰弱も悪化するばかりで、

ついには幻視、幻聴にも苦しめられるようになった。大正十四年に入るころから創作活動はようやく低調となり、作風もしだいに陰鬱な心情の世界に傾斜していった。龍之介が自殺の決意を友人にはじめて打ち明けたのは、大正十五年の四月だったという（小穴隆一）。昭和二年一月、義兄の西川豊が放火の嫌疑を受けて自殺したスキャンダルも、事後の処理に奔走する龍之介の消耗をよりふかめる事件だった。そうした悪条件のなかで「玄鶴山房」（一、二月）が書かれ、「蜃気楼」（三月）が書かれている。いずれも〈唯薄暗い中にその日暮しの生活をしてゐた〉〈或阿呆の一生〉作者の異常にとぎすまされた神経と、暗澹たる想念を伝える作品であった。架空の小動物に托して、人間社会の痛烈な戯画を描いた「河童」（三月）も、所詮は河童が河童であること、つまり人間が人間であることへのあらわな嫌悪と絶望を語っている。狂気の遺伝に脅える心情も痛切である。

おなじく昭和二年、生涯の最後の年に、龍之介は小説のプロットをめぐる応酬を、谷崎潤一郎とかわしている（「『話』のない小説」論争）。この論争で、龍之介は物語性に富む虚構の小説を退け、志賀直哉の心境小説を、もっとも純粋な文学として高く評価した。心境の奏でる澄明な詩＝東洋的詩的精神への憧憬を隠さなかったのである。

このとき、龍之介は知性と抒情、西洋と日本のふかい亀裂を主体の矛盾としてかかえ

こんでいた。

＊

昭和二年七月二十四日未明、芥川龍之介は〈唯ぼんやりした不安〉（或旧友へ送る手記）という一語を残して、田端の自宅でヴェロナールおよびジャールの致死量をあおいで自殺した。遺稿として「歯車」「或阿呆の一生」「続西方の人」などが残されていた。「歯車」はみずから死をえらぶ人間の心象を伝える稀有の作で、龍之介が死を賭して成功した狂気と幻想の描写は他のどういう小説でも不可能な、ぶきみな戦慄にみちている。「或阿呆の一生」は終焉の地点から逆照射された半生の起伏を、敗北と自嘲の思いをにじませながら短章を連鎖して綴ってゆく。「西方の人」は正続五十九章から成るイエス伝であり、同時に、イエスを比喩として描かれた悲劇の自画像である。「歯車」を評して、広津和郎の〈一糸乱れず、冷静に〉という評語があるように、これらの遺稿は絶望的な破局の淵で書かれながら、冴えた意識による統御を失なっていない。芥川龍之介が最後まで、固有の方法を捨てなかった小説家であることを告げている。

芥川龍之介は「白樺」の諸作家とともに、大正期の市民文学の実質を担当した作家であり、その生涯は死をふくめて、市民文学理念の成熟と動揺と崩壊とを象徴した。

龍之介の自殺が当代の知識階級にひとごとでない衝撃を与え、時代の危機と不安を告げる指標と目されたゆえんである。

(昭和五十九年九月、東京大学教授)

『羅生門・鼻』について

吉田 精一

この巻には、芥川龍之介の「王朝物」といわれる、平安時代に材料を得た歴史小説をおさめている。配列は大体年代順に従っているが、その発表年時と、発表機関を示すと、次のようになる。

羅生門 　　　大正四年一一月 　『帝国文学』
鼻(はな) 　〃　 五年二月 　　　『新思潮』(第四次創刊号)
芋(いも)粥(がゆ) 　〃　 〃 九月 　　　『新小説』
運 　　　 〃　 六年一月 　　　『文章世界』
邪宗門 　 〃　 七年一〇―一二月 『東京日日新聞』
袈(け)裟(さ)と盛(もり)遠(とお) 〃 〃 四月 『中央公論』
好色 　　 〃　 一〇年一〇月 　『改造』
俊寛 　　 〃　 一一年一月 　　『中央公論』

これらの芥川の歴史小説にはすべて出典がある。それを次に記しておく。

羅生門　『今昔物語』巻二十九「羅城門登┘上層┐見┴死人┐盗人語第十八」を主とし、同巻三十一「太刀帯陣売┘魚　媼　語第三十一」を部分的に挿入。

鼻　『今昔物語』巻二十八「池尾禅珍内供鼻語第二十」及び『宇治拾遺物語』巻二「鼻長き僧の事」

芋粥　『今昔物語』巻二十六「利仁将軍若時従┘京敦賀将┐行五位┐語第十七」及び『宇治拾遺物語』巻一「利仁芋粥の事」

運　『今昔物語』巻十六「貧女仕┴清水観音┐値┴盗人夫┐語第三十三」

袈裟と盛遠　『源平盛衰記』第十九

邪宗門　主題の出典としてはとくべつにあげるものはない。小道具、挿話には『栄華物語』『大鏡』『今昔物語』『宇治拾遺物語』『古今著聞集』『平家物語』『古今集』などを採用。

好色　『今昔物語』巻三十「平定文仮┐借本院侍従┐語第一」

俊寛　『平家物語』第四及び『源平盛衰記』第七

こうして見ると圧倒的に『今昔物語』に出典を仰いだものが多い。そして『今昔物語』の美しさや価値を発見したものは、専門の国文学者ではなくして、実に芥川その人であった。彼がこの物語に近づいたのは、おそらく少年のころからの「ミステリアスな話」に対する嗜好からであり、彼のよった本文は明治三十四年刊の活字本（国史大系本、史籍集覧本）あるいは芳賀矢一の『攷証今昔物語集』（天竺震旦部）大正二年六月、「本朝部上」大正三年八月、「本朝部下」大正十年四月刊）の何れか（竜）を参照すると、多分国史大系本か）のほかに、『校註国文叢書』（博文館刊、本朝部のみ、所収）を見たことが最近考証されている。（長野甞一『古典と近代作家』

芥川はのち昭和二年『今昔物語鑑賞』（新潮社版『日本文学講座』）を書き、この物語の特色を道破している。彼はこの物語中での三面記事のような部分、「世俗」や「悪行」の部に最も興味を感じる、といっている。しかし「仏法」の部でも、事実彼の「今昔物」は、ほとんどすべてこの部のものである。しかし「仏法」の部でも、事実彼の「今昔物」は、ほとんどすべてこの部のものである。しかし「仏法」の部でも、当時の人々は仏菩薩や天狗などの、超自然の存在を如実に感じていたに違いないともいっている。そして彼は『今昔物語』の特色を、写生の「美しい生々しさ」にあるとして、ブルタリティの美を強調している。

『今昔物語』の作者は、事実を写すのに少しも手加減を加えていない。これは僕等

人間の心理を写すのにも同じことである。もっとも『今昔物語』の中の人物は、あらゆる伝説の中の人物のように複雑な心理の持ち主ではない。彼等の心理は陰影に乏しい原色ばかり並べている。しかし今日の僕等の心理にも如何に彼等の心理の中に響き合う色を持っているであろう。（略）

こういう作者の写生的筆致は当時の人々の精神的争闘もやはり鮮かに描き出している。彼等もやはり僕等のように娑婆苦の為に呻吟した。『源氏物語』は最も優美に彼等の苦しみを写している。それから『大鏡』は最も簡古に彼等の苦しみを写している。最後に『今昔物語』は最も野蛮に、――或は殆ど残酷に彼等の苦しみを写している。（略）

『今昔物語』は前にも書いたように野性の美しさに充ち満ちている。その又美しさに輝いた世界は宮廷の中にばかりある訳ではない。従って又この世界に出没する人物は上は一天万乗の君から下は士民だの盗人だの乞食だのに及んでいる。いや、必しもそればかりではない。観世音菩薩や大天狗や妖怪変化にも及んでいる。若し又紅毛人の言葉を借りるとすれば、これこそ王朝時代の Human Comedy（人間喜劇）であろう。僕は『今昔物語』をひろげる度に当時の人々の泣き声や笑い声の立ち昇るのを感じた。のみならず彼等の軽蔑や憎悪の（例えば武士に対する公卿の軽蔑

そして、『今昔物語』及びこれに準じる『宇治拾遺物語』等に出典をあおいだ十数編の短編小説において、芥川は「今日の僕等の心理」に「響き合う」古人の心理を発見し、「当時の人々の泣き声や笑い声」をききとって再現するとともに、「陰影に乏しい原色」を近代人の「複雑な心理」におきかえたのである。いわば王朝の説話物語の材料の近代的解釈をこころみることで、彼自身のもっている主題を生かそうとしたのである。ここに彼の歴史小説の特殊性があった。そしてそれは彼以前の日本文学にはかつてないものであった。それは誰かによって一度こころみられるべき企てであり、そして芥川によって「再びああいう種類の作品は我々に必要のない程度までの、それ程かんじんな一小説体をなしている」（室生犀星）出来栄えを示した完成品となった。この成功には彼の学才と、着想と、頭脳と、努力とが必要だったのである。

以下、個別的に各作品について簡単に解説する。

『羅生門』と『鼻』とは彼の学生時代の産物である。出来栄えはさして差違があるとは見えないが、作品の運命には幸不幸があり、『羅生門』がほとんど無反響に終ったに反して、『鼻』は彼がその門に出入した夏目漱石から絶讃され、ひいては彼の文壇に第一歩を印するきっかけとなった。

それらの声の中に交っているのを感じた。（略）

これには発表機関の関係もある。前者が『帝国文学』という、創作を重視しない、いささか時代遅れと見られる雑誌に発表されたのに対し、後者は『新思潮』(第四次)という、同人雑誌ながら、漱石門に集った東大生の、いわば漱石を読者の第一号とし、漱石に読んでもらうことを一つの目標として刊行したものにのったという事情があった。漱石としては、自分の崇拝者達のためにも、それを義務と感じたのであろう。毎号ていねいに全作品を読み、そしてていねいな批評をあたえている。『鼻』が材料のあたらしさと、自然なユーモアと、ととのったいねいな文章によって漱石の目にかなったことはいうまでもない。

そうして漱石の評価が、ひいては門下の鈴木三重吉が顧問をしていた『新小説』に新作の『芋粥』をのせる段どりをつけ、芥川は順風に帆をかかげて一気に文壇にのり出したのである。その翌月には文壇随一の『中央公論』に現代小説の『手巾(ハンケチ)』をのせる約束がとりつけられていた。

『鼻』以下『運』にいたるまでの作品は、どれも歴史的な意味のとぼしい凡庸な人間のなかに、現代人としての心理を追求し、自己を流しこもうとしたものである。そこには人間の運命の必然性をきわめようとする、本格的な歴史小説のねらいはない。ど

の作品にも、善にも悪にも徹底し切れない、不安定な人間の姿（『羅生門』）、他人の目にうつる自分に始終注意をひかれるのみで、人生の満足も不満足も、要するに対世間的のものにすぎないという懐疑的な精神（『鼻』）、理想や欲望は達せられないうちに価値があるので、達せられれば幻滅するのみ（『芋粥』）、物質的な幸福と精神的な幸福とは、どちらが真の幸福であるか（『運』）、といったテーマが寓されている。いずれも表現はブリリアントだが、内容は人間のわびしさを描いた作品群といいうるだろう。

芥川は大正五年（一九一六）七月、二十四歳で東京帝大英文科を卒業。成績は二十名中二番であったが、平均点八十五点以上をとった優等生で、非常な秀才であった。そうしてそのころの彼の創作態度も、書斎中に参考書籍を山のように積み上げ、あたかも論文を書くような調子のものだったという。技巧的には、たとえば『鼻』にはゴーゴリの『鼻』が、そして『芋粥』には同じくゴーゴリの『外套』の影響が感じられる。とくに後者は彼の創作中机辺に置いたものであり、『芋粥』の主人公無名の五位の性格と環境は、『外套』の主人公の下級官吏と実によく似ているのである。

『邪宗門』は新聞小説ということもあって、変化に富むロマンを企画したらしいが、あまりにも空想が拡がりすぎて、収束に困ったためと思われる。ついに未完に終った。堀川の大殿と若殿との容貌や性格の対照は、藤原道長、頼通父子のそれを思わせるが、

この物語の一つの魅力はクリスト教徒と見られる摩利信乃法師の存在であり、これは芥川の「今昔物」とならんで譜代の材料というべき「切支丹物」の人物の、もっとも古い時代の出現であり、造型となっている。しかし、平安朝にクリスト教が日本に伝来していたかどうかについては、私にはまだ確証がない。入って来るとすれば景教であろうが、残念ながらその資料的な痕跡はつかむに至っていない。恐らくそれは全く芥川の空想の産物であろう。

『袈裟と盛遠』と『俊寛』はともに『今昔』以後の『平家物語』や『源平盛衰記』によったものである。前者については、貞女袈裟という一種の偶像化された女性像に対する破壊趣味が作者にあったことは否めない。しかし袈裟が盛遠とちぎったことは盛衰記の本文に見えており、芥川の創作ではない。にもかかわらず袈裟の身をまかせたのは、母の生命を助けるためという事情があったとして、なお彼女を貞女視し、芥川の近代的な女性心理解釈を憤慨する向きは、発表当時からあった。私が旧制一高の学生の時、国粋主義者の国語教授、沼波瓊音先生が、講義の中でやはり同様の立場から、芥川の解釈を痛罵したのをきいている。

『俊寛』もまた古典の新解釈である。彼のこの作をなした動機には倉田百三、菊池寛に対する対抗意識があった。倉田は大正九年三月『白樺』に『俊寛』と題する三幕も

のの力作を発表して評判をよんだ。つづいて菊池が大正十年十月の『改造』に短編小説『俊寛』を発表して、『平家物語』の俊寛と全くちがった、幸福な俊寛を作り上げた。菊池の解釈は所伝の――平家や盛衰記、謡曲あるいは近松門左衛門の『平家女護島(にょごのしま)』をふくめて――悲劇的な人間像とはことなる。そしてまた倉田の怨恨(えんこん)の亡者となって自殺する俊寛ともちがっている。

芥川の『俊寛』も、また菊池に近い「苦しまざる」俊寛であり、文明都会のわずらわしい対人関係や、口やかましい夫人から解放され、島の女を妻として満ち足りた生活をする、機智に富んだ好色家である。彼の一種の智恵のいたずらの産物といってもよいであろう。

『好色』もまた気軽で安易な作品である。主人公平中(へいちゅう)は、平安朝の色好みの代表的存在であるが、芥川は彼に現実に理想の女性を想像し追求して失望せずにはいられないドン・ジュアンの面影を見た。作品の構想も情景も、忠実に『今昔物語』巻三十の第一話を追っているが、ただ新しい解釈といえば、以上のように、平中に天才的色好みの不幸を見出(みいだ)した点にあるといえよう。

(昭和四十三年七月)

年譜

明治二十五年（一八九二年）三月一日、東京市京橋区入船町（現在東京都中央区明石町）に、父新原敏三、母フクの長男として生れた。父四十二歳、母三十三歳のいわゆる大厄の年であったため形式的に捨て児とされた。拾い親は父の旧友松村浅二郎。母フクの実家芥川家は本所区小泉町の三人兄弟。生後約八カ月目に母フクは突然発狂し、母の実兄にあたる芥川道章の家にあずけられた。以後、母の姉フキに育てられた。養父道章は当時東京府の土木課に勤めていた。三十年（五歳）本所元町の回向院の隣にあった江東小学校付属幼稚園に通う。

明治三十一年（一八九八年）六歳 四月、江東小学校に入学。一家の一中節の師匠宇治紫山の息子に英語と漢字と習字を習う。三十五年（十歳）四月頃より同級生と回覧雑誌『日の出界』を刊行、自ら編集装幀を受持った。十一月、実母フク死去。三十六年（十一歳）

この頃、神田の古本屋、大橋図書館、帝国図書館などに通って、蘆花、鏡花、紅葉等の作品、また馬琴、近松等の江戸文学を濫読した。三十七年（十二歳）八月、芥川家に正式に養子縁組した。

明治三十八年（一九〇五年）十三歳 三月、江東小学校高等科三年を修了。四月、東京府立第三中学校に入学。二級上に久保田万太郎、河合栄治郎、三級上に後藤末雄がいた。この頃まで龍之助と書いた。紅葉、露伴、蘆花、鏡花、漱石、鷗外、独歩などの日本文学、またイプセン、フランス、メリメなどの外国文学に関心を持ち、濫読した。中学時代の成績は優秀で、歴史を好み、また漢文の力は抜群であった。三十九年（十四歳）四月頃より回覧雑誌『流星』（後に『曙光』と改題）を刊行。編集兼発行人となり、論文「廿年後之戦争」等を書いた。

明治四十三年（一九一〇年）十八歳 二月、評論「義仲論」を『学友会雑誌』に発表。三月、東京府立第三中学校を卒業。九月、第一高等学校第一部乙（文科）に成績優秀のため無試験で入学。同級に久米正雄、菊池寛、松岡譲、山本有三、土屋文明、成瀬正一、恒藤恭、独法科に倉田百三、藤森成吉、一級上の文科に豊島与志雄、山宮允、近衛文麿等がおり、恒藤とは最も

年譜

親しく交わった。秋、一家は新宿二丁目に移転。

明治四十四年（一九一一年）十九歳　本郷の第一高等学校寮で一年間の寮生活を送る。ボードレール、ベルグソン等の作品を熟読。

明治四十五年・大正元年（一九一二年）二十歳　山宮允に伴われ、吉江孤雁を中心とするアイルランド文学研究会に出席し、西条八十、日夏耿之介等を知る。

大正二年（一九一三年）二十一歳　七月、第一高等学校を卒業。九月、東京帝国大学文科大学英文科に入学。

大正三年（一九一四年）二十二歳　二月、豊島与志雄、山宮允、久米正雄、菊池寛、松岡譲、成瀬正一、山本有三、土屋文明等と第三次『新思潮』を発刊。柳川隆之介の筆名で、創刊号にフランスの翻訳を発表。十月、第三次『新思潮』廃刊。一家は府下豊島郡滝野川町字田端に転居。

五月、「老年」（新思潮）九月、戯曲「青年と死と」（新思潮）

大正四年（一九一五年）二十三歳　八月、島根県松江に旅行。紀行「松江印象記」を『松陽新報』に発表。十一月、「羅生門」を『帝国文学』に発表。十二月、級友林原耕三の紹介で、漱石山房の「木曜会」に出席し、江口渙、内田百閒等を知る。

八月、紀行「松江印象記」（松陽新報）十一月、「羅生門」（帝国文学）

大正五年（一九一六年）二十四歳　二月、久米、菊池、松岡、成瀬等と共に第四次『新思潮』を発刊。「鼻」をその創刊号に発表。漱石の激賞を受けた。七月、東京帝国大学文科大学英文科を卒業。卒業論文は「ウィリアム・モリス研究」。九月、一高教授畔柳都太郎の紹介で横須賀の海軍機関学校の嘱託教官となり、鎌倉に下宿。夏目漱石死去。中学時代の親友山本喜誉司の姪塚本文と婚約が成立。

二月、「鼻」（新思潮）四月、「孤独地獄」（新思潮）五月、「父」（新思潮）八月、「野呂松人形」（人文）九月、「芋粥」（新小説）十月、「手巾」（中央公論）十一月、「煙草」、後に「煙草と悪魔」と改題）

大正六年（一九一七年）二十五歳　三月、第四次『新思潮』が『漱石先生追慕号』をもって廃刊となった。佐藤春夫が来訪し、交遊を始めた。五月、処女短編集『羅生門』を阿蘭陀書房より著者自装で刊行。六月、

日本橋のレストラン鴻の巣で出版記念会「羅生門の会」が催され、谷崎潤一郎、有島武郎、小宮豊隆、和辻哲郎等も出席した。九月、横須賀市汐入に下宿先を移転。短編集『煙草と悪魔』を新進作家叢書の一冊として新潮社より刊行。この頃より我鬼と号した。

一月、「MENSURA ZOILI」(新思潮)「運」(文章世界)三月、エッセイ「葬儀記」(新思潮)「或日の大石内蔵助」(中央公論)十月、「片恋」(文章世界)「戯作三昧」(大阪毎日新聞、十一月完結)

『羅生門』短編集(五月、阿蘭陀書房刊)
『煙草と悪魔』短編集(十一月、新潮社刊)

大正七年(一九一八年)二十六歳 三月、鎌倉町大町字辻に転居し、大阪毎日新聞社社友となる。条件は、小説の雑誌発表は自由だが、新聞は大毎(東日)に限る等であった。五月、「地獄変」を『大阪毎日新聞』に発表。この頃から高浜虚子に師事、以後、「ホトトギス」に、句をたびたび発表。

一月、「西郷隆盛」(新小説)四月、「世之助の話」(新小説)五月、「地獄変」(大阪毎日新聞)七月、「開化の殺人」(中央公論)「蜘蛛の糸」(赤い鳥)九月、「奉教人の死」(三田文学)十月、「枯野抄」(新小説)「邪宗門」(東京日日新聞、十二月完結)

大正八年(一九一九年)二十七歳 三月、創作に専念するため、海軍機関学校嘱託を辞し、大阪毎日新聞社社員となる。出勤の義務は負わず、年何回か小説を書く等が条件であった。「きりしとほろ上人伝」を『新小説』(五月完結)に発表。実父新原敏三死去。四月、田端の自宅に引上げ、養父母と生活を共にした。この後、書斎「我鬼窟」での日曜日の面会日には、小島政二郎、佐佐木茂索、瀧井孝作等の後輩作家や洋画家で俳人の小穴隆一等が出入りした。

一月、「毛利先生」(新潮)「あの頃の自分の事」(中央公論)二月、「開化の良人」(中外)三月、「きりしとほろ上人伝」(新小説、五月完結)「私の出遇った事」(新潮、後に「蜜柑」「沼地」と改題)九月、「妖婆」(中央公論、十月完結)

『傀儡師』短編集(一月、新潮社刊)

大正九年(一九二〇年)二十八歳 三月、長男比呂志誕生。菊池寛が名付け親となった。この春、上野の清凌亭に座敷女中をしていた佐多稲子を知る。十一月、久米、菊池、宇野浩二等と京阪地方を講演旅行、木曾路を回って帰京。この年、泉鏡花を知る。

一月、「鼠小僧次郎吉」(中央公論)「秋」(中央公論)四月、「舞踏会」(新潮)七月、「南京の基督」

大正十年(一九二一年)二十九歳　三月、短編集『夜来の花』を小穴隆一の装幀で新潮社より刊行。以後の著作は概ね彼の装幀による。大阪毎日新聞社より海外視察員として中国に特派された。上海、杭州、蘇州、揚州、南京、廬山、洞庭湖、北京、朝鮮を回って、七月、帰国。旅行以来、病気がちで神経衰弱にもなった。八月、紀行『上海游記』を『東京日日新聞』(九月完結)に連載。南部修太郎と神奈川県湯河原に静養。

一月、「秋山図」(改造)「山鴫」(中央公論)八月、紀行「上海游記」(東京日日新聞、九月完結)九月、「母」(中央公論)十月、「好色」(改造)
『夜来の花』短編集(三月、新潮社刊)
『戯作三昧』短編集(九月、春陽堂刊)

大正十一年(一九二二年)三十歳　三月、「トロッコ」を『大観』に発表。この頃より書斎の額を「澄江堂」と改めた。四月末より五月にかけて長崎に遊び、書画骨董を漁る。七月、小穴と共に我孫子の志賀直哉を訪問。十一月、次男多加志誕生。小穴隆一の隆をかなよみし たものである。この頃より健康が悪化した。

(中央公論)「杜子春」(赤い鳥)「影燈籠」短編集(一月、春陽堂刊)

一月、「藪の中」(新潮)「将軍」(改造)「神神の微笑」(新小説)三月、「トロッコ」(大観)四月、「報恩記」(中央公論)五月、「お富の貞操」(改造、九月完結)七月、「庭」(中央公論)八月、「六の宮の姫君」(表現)九月、「おぎん」(中央公論)十月、「百合」(新潮)
「芋粥」短編集(一月、春陽堂刊)
「点心」エッセイ集(五月、金星堂刊)
「沙羅の花」短編集(八月、改造社刊)
「邪宗門」(十一月、春陽堂刊)

大正十二年(一九二三年)三十一歳　一月、アフォリズム「侏儒の言葉」を『文藝春秋』創刊号(十四年九月完結)より連載。三月、「雛」を『中央公論』に発表。翌月にかけて湯河原で湯治。八月、鎌倉に避暑に赴き、岡本一平、かの子夫妻を知る。九月、大地震にあったが、被害は受けなかった。十月、一高在学中の堀辰雄を知る。

三月、「雛」(中央公論)「猿蟹合戦」(婦人公論)五月、「保吉の手帳から」(改造)十月、「お時儀」(女性)十一月、評論「芭蕉雑記」(新潮、十三年七月完結)十二月、「あばばばば」(中央公論)
「春服」短編集(五月、春陽堂刊)

大正十三年（一九二四年）三十二歳　七月下旬より約一カ月間軽井沢に滞在。堀、室生犀星、山本有三等と交際。一方、叔父を失い、更に義弟塚本八洲の喀血にあい、心身の衰弱がひどくなった。十二月、庭に書斎を増築。斎藤茂吉と親しくなる。

一月、「一塊の土」（新潮）「不思議な島」（随筆説）四月、「第四の夫から」（サンデー毎日）「或恋愛小説」（婦人グラフ）「少年」（中央公論、五月完結）

「黄雀風」短編集（七月、新潮社刊）
「百艸」エッセイ集（九月、新潮社刊）

大正十四年（一九二五年）三十三歳　一月、田端に移転してきた萩原朔太郎と交際を深めた。三月、谷崎、里見弴、水上滝太郎、久保田万太郎、小山内薫と共に「泉鏡花全集」の編集に従事。四月下旬より翌月にかけ湯治のため伊豆修善寺に滞在。七月、三男也寸志誕生。八月より翌月にかけ軽井沢に滞在。十月、興文社の依頼による「近代日本文芸読本」全五巻の編集を終えたが、徳田秋声の抗議、印税配分の問題などで精神的な打撃を受けた。十一月、この頃、俳句のほかに詩にも興味を寄せた。健康はますます悪化した。

一月、「大導寺信輔の半生」（中央公論）九月、「海のほとり」（中央公論）「死後」（改造）
「芥川龍之介」「支那游記」紀行集（十一月、改造社刊）現代小説全集（四月、新潮社刊）

大正十五年・昭和元年（一九二六年）三十四歳　一月、療養のため湯河原に滞在。四月以降、静養のため妻子と共に神奈川県鵠沼に寓居。

一月、「湖南の扇」（中央公論、二月完結）「年末の一日」（新潮）十月、「点鬼簿」（改造）十一月、「夢」（婦人公論）
「或日の大石内蔵助」短編集（二月、文藝春秋社刊）
「梅・馬・鶯」エッセイ集（十二月、文藝春秋社刊）
「地獄変」短編集（二月、新潮社刊）

昭和二年（一九二七年）三十五歳　一月、田端の自宅に戻る。義兄西川豊宅の全焼と豊の鉄道自殺から、その後始末や整理に奔走した。三月、「河童」を「改造」に発表。四月、評論「文芸的な、余りに文芸的な」を「改造」（八月完結）に発表し、谷崎潤一郎と小説の筋をめぐって論争した。五月、東北、北海道方面に講演旅行。発狂した宇野浩二を見舞った。六月、「或阿呆の一生」を脱稿。七月、田端の自宅において、ヴェロナール及びジャールの致死量を仰いで自殺。枕許には

聖書があった。遺書は妻文、小穴隆一、菊池寛、葛巻義敏、伯母フキあて等で、他に「或旧友へ送る手記」があった。谷中斎場にて葬儀が行われ、先輩総代泉鏡花、友人総代菊池寛、文芸家協会代表里見弴、後輩代表小島政二郎の弔詞があった。染井の法華宗慈眼寺に納骨。

一月、「玄鶴山房」(中央公論、二月完結)三月、「蜃気楼」(婦人公論)「河童」(改造)四月、評論「文芸的な、余りに文芸的な」(改造、八月完結)七月、「冬と手紙と」(中央公論、後に「冬」「手紙」と改題)評論「続文芸的な、余りに文芸的な」(文藝春秋)八月、評論「西方の人」(改造)評論「続芭蕉雑記」(文藝春秋)九月、「闇中問答」(文藝春秋)評論「続西方の人」(改造)十月、「歯車」(文藝春秋)「或阿呆の一生」(改造)
『湖南の扇』短編集(六月、文藝春秋社刊)
『芥川龍之介全集』全八巻(十一月〜四年二月、岩波書店刊)
『侏儒の言葉』評論・エッセイ集(十二月、文藝春秋社刊)

昭和三年(一九二八年)
『三つの宝』童話集(六月、改造社刊)

昭和四年(一九二九年)
『西方の人』短編集(十二月、岩波書店刊)

昭和五年(一九三〇年)
『大導寺信輔の半生』短編集(一月、岩波書店刊)

昭和六年(一九三一年)
『文芸的な、余りに文芸的な』評論・エッセイ集(七月、岩波書店刊)

昭和八年(一九三三年)
『澄江堂遺珠』詩集(三月、岩波書店刊)

(この年譜は、諸種の年譜を参考にし、編集部で作成した。)

表記について

新潮文庫の文字表記については、原文を尊重するという見地に立ち、次のように方針を定めました。

一、旧仮名づかいで書かれた口語文の作品は、新仮名づかいに改める。
二、文語文の作品は旧仮名づかいのままとする。
三、旧字体で書かれているものは、原則として新字体に改める。
四、難読と思われる語には振仮名をつける。
五、漢字表記の代名詞・副詞・接続詞等のうち、特定の語については仮名に改める。

本書で仮名に改めた語は次のようなものです。

恰も→あたかも　　　…居る→いる、おる　　　彼是→かれこれ
屹と→きっと　　　　此→この　　　　　　　　流石→さすが
其→その　　　　　　…丈→…だけ　　　　　　所が→ところが
兎(に)角→とにかく　果ない→はかない　　　　亦→また
迄→まで　　　　　　儘→まま　　　　　　　　矢張→やはり

なお本作品中には、今日の観点からみると差別的表現ととられかねない箇所が散見しますが、著者自身に差別的の意図はなく、作品自体のもつ文学性ならびに芸術性、また著者がすでに故人であるという事情に鑑(かんが)み、原文どおりとしました。

（新潮文庫編集部）

新潮文庫最新刊

赤川次郎著 **天国と地獄**

どうしてあの人気絶頂アイドルが、私を狙うの——？　復讐劇の標的は女子高生?!　痛快ノンストップ、赤川ミステリーの最前線。

佐伯泰英著 **雄　飛**
古着屋総兵衛影始末 第七巻

大目付の息女の金沢への輿入れの道中、若年寄の差し向けた刺客軍団が一行を襲う。鳶沢一族は奮戦の末、次々傷つき倒れていく……。

西村賢太著 **廃疾かかえて**

同棲相手に難癖をつけ、DVを重ねる寄食男の止みがたい宿痾。敗残意識と狂的な自己愛渦巻く男貫多の内面の地獄を描く新・私小説。

堀江敏幸著 **未見坂**

立ち並ぶ鉄塔群、青い消毒液、裏庭のボンネットバス。山あいの町に暮らす人々の心象からけがえのない日常を映し出す端正な物語。

熊谷達也著 **いつかＸ橋で**

生まれてくる時代は選べない、ただ希望を持って生きるだけ——戦争直後、人生に必死で希望を見出そうとした少年二人。感動長編！

恒川光太郎著 **草　祭**

この世界のひとつ奥にある美しい町〈美奥〉。その土地の深い因果に触れた者だけが知る、生きる不思議、死ぬ不思議。圧倒的傑作！

羅生門・鼻

新潮文庫 あ-1-1

昭和四十三年 七月二十日 発 行
平成 十七 年 十月十五日 六十九刷改版
平成二十三年 四月十五日 八十刷

著者　芥川龍之介

発行者　佐藤隆信

発行所　株式会社 新潮社

郵便番号　一六二－八七一一
東京都新宿区矢来町七一
電話　編集部（〇三）三二六六－五四四〇
　　　読者係（〇三）三二六六－五一一一
http://www.shinchosha.co.jp

価格はカバーに表示してあります。

乱丁・落丁本は、ご面倒ですが小社読者係宛ご送付
ください。送料小社負担にてお取替えいたします。

印刷・二光印刷株式会社　製本・憲専堂製本株式会社
Printed in Japan

ISBN978-4-10-102501-8 C0193